La pareja

La pareja

JULIO SCHERER GARCÍA

PLAZA JANÉS

La pareja

Primera edición, 2005

© 2005, Julio Scherer García, México, D.F.

D.R. 2005, Random House Mondadori, S. A. de C.V.
Av. Homero 544, Col. Chapultepec Morales,
Del. Miguel Hidalgo, C. P. 11570, México, D. F.

www.randomhousemondadori.com.mx

Comentarios sobre la edición y contenido de este libro a:
literaria@randomhousemondadori.com.mx

Foto de portada: Octavio Gómez/Procesofoto

ISBN: 968-5959-89-7

Impreso en México / *Printed in Mexico*

I

—A nombre del presidente de la República te ofrezco la embajada de México en Chile, país al que tanto quieres —me dijo en su mejor estilo Jorge Castañeda, canciller del naciente gobierno del cambio.

Yo me encontraba con Gabriel García Márquez, Carlos Monsiváis y Carlos Slim, invitados a una concurrida recepción que ofrecía el presidente Ricardo Lagos a funcionarios mexicanos, al personal acreditado en el país y a un pequeño grupo de amigos.

—¿Tú qué opinas, Gabriel?

—Acepta y ya deja de joder. Tú te tomas unas vacaciones y nosotros disfrutamos de un descanso.

Monsiváis y Slim sonreían, ni siquiera expectantes, de buen humor, divertidos.

Volvió Castañeda:

—Aquí mismo solicitamos el beneplácito para que puedas viajar a Santiago en cuanto arregles tus asuntos personales.

Y luego:

—Pondríamos a tu lado a un funcionario de Relaciones. Él se encargaría de todo. Tú podrías viajar, escribir.

Dije que no.

—Estamos entre chilenos y chilenas que te aprecian y a quienes tú quieres. Te van a convencer. Platicamos al rato.

García Márquez jugaba:

—¿Te imaginas qué país sería éste si Monsiváis tuviera la fortuna de Slim y Slim el talento de Monsiváis?

Yo ocupé un lugar en una mesa de chilenos presidida por el embajador Luis Maira. Alto y fornido, barrigón, su buen ánimo resultaba vano para dominar la tristeza cotidiana. Chile y su mujer estaban en su vida completa. La pareja me llamaba la atención. Él trabajaba desde temprano y la escritora Marcela Serrano novelaba de noche. Se amaban los fines de semana y se querían todas las horas. Recordaban los Andes rosados y pálidamente azules, la Antártica, los manjares del mar helado y lloraban a los muertos, los torturados, los niños con padres que no eran sus padres, los exiliados que abrazaban con amorosa gratitud la patria que se inventaban.

Durante la cena advertí que todos estaban enterados del asunto de la embajada.

«Enhorabuena», me felicitaban algunos. Otros, amigos de muchos años, me decían discretos:

—¿Vas a aceptar o no?

—No puedo, no podría —contestaba.

Se habló de *Excélsior*, de su condena a la Junta Militar y cómo en las páginas del diario se habían difundido los primeros documentos sobre la barbarie fratricida desatada por Pinochet.

Ya en el café y los coñacs se formaron los grupos de siempre. Carlos Slim me dijo que se interesaría por un gran periódico, que el país necesitaba. A mí también me gustaría, sólo eso. *Proceso* representaba en mi vida una forma de plenitud, agregué.

La conversación quedó ahí. Luego llegó Monsiváis y hablamos de Chile, la prensa, el presidente Fox. Monsiváis se mostró escéptico frente al futuro mexicano y Slim habló con medido entusiasmo. En ésas estábamos, cuando apareció Lagos.

En un momento, él y yo quedamos solos. Lo percibí sin excesos, naturalmente sobrio. Su lenguaje era cuidadoso, como si escribiera. Sentí una cercanía virtual, la de los amigos que lo son sin haberse tratado.

—Le debo una explicación, presidente.

—Dígame.

—El canciller Castañeda me hizo saber que el presidente Fox me ofrecía la embajada de México en Chile. También me indicó que, de parte de su gobierno, no representaría problema alguno el beneplácito protocolario y que aquí mismo podría iniciarse su trámite.

—Por supuesto.

—Debo confiarle, presidente, que no debo aceptar distinción tan señalada, que agradezco y me honra. La razón es una sola: no puedo representar a una persona en la que no creo.

Lagos guardó silencio. No sé si fue prolongado o breve, brevísimo. Lo miré, sensible a su sonrisa. Escuché:

—Evíteme el comentario, don Julio.

II

Fox fue un candidato arrollador. Líder inédito, hizo sentir una personalidad, poderosa, limpia. El PRI fuera de Palacio, su lema de campaña, respondió a un clamor popular. Para eso estaban sus botas puntiagudas, para patear a los corruptos. Su lenguaje desató pasiones. Pillos, tepocatas, alacranes, alimañas, víboras prietas, llamaba a sus enemigos. El folclor le venía bien. «Salinillas», se burlaba del Pelón Salinas de Gortari y para hablar de Zedillo le bastaba una palabra: tonto, ni siquiera pendejo.

Sus partidarios, cada día más, le festejaban su lenguaje simplón. «Champú de cariño, hay que darles hasta con la bacinica», decía y el regocijo se hacía presente, festejado con risas y aplausos.

Más allá de su colorido y desbordada presencia en el país, el libro autobiográfico, *Fox a Los Pinos*, editado en

1999 por Océano, lo mostraba como a un hombre sin grandeza. En el volumen de 216 páginas apenas podría encontrarse una expresión de hondo amor a la patria, alguna referencia a la gracia y gloria de saberse mexicanos. Es difícil hallar algún párrafo que aluda a la solidaridad y a la generosidad, puntos de cohesión para ser en esta vida. Leí, en el desencanto:

> Lo único que pide el ciudadano es paz y tranquilidad, la oportunidad de mejorar su ingreso y formar un pequeño patrimonio, así como contar con oportunidades de crecimiento personal, la educación, la salud, una vida digna e infraestructura de calidad como factores indispensables para que un individuo pueda crecer en lo personal. De lo único que debe preocuparse un programa de gobierno es de satisfacer estos planteamientos.

Sin formación intelectual ni amor a la historia, sin doctrina ni ideología, entregó su admiración a Maquío (Manuel Clouthier), su maestro. En buena hora el reconocimiento a un hombre que le significó tanto en lo personal y tuvo un peso en el país. Pero a su lado no existieron para Fox los panistas que hicieron al PAN:

Manuel Gómez Morín es acreedor a una sola cita, superficial y de pasada. No hay un reconocimiento para el líder y humanista que se empeñó en formar mexicanos y que hizo de la brega diaria un tema de eternidad, como afirmaba el más grande de los panistas.

En la autobiografía no puede leerse una línea sobre Efraín González Luna, patriarca panista y amigo entrañable de Gómez Morín, ni para Rafael Preciado Hernández, conciencia jurídica de las huestes azules, filósofo grande. Los primeros diputados federales tampoco existen en *Fox a Los Pinos*. Estoicos, enfrentados a la turba priísta en el Colegio Electoral, no aparecen en el índice de 215 nombres enlistados en la obra. A Luis H. Álvarez, otra figura, le dedica un elogio mezquino: «Fue el complemento perfecto de Manuel (Clouthier) en las elecciones de 1988».

Tampoco apunta en el libro algún reconocimiento a la excelencia de las infanterías. Gerardo Medina lo merecía con creces. De formación rústica, se elevó hasta la dirección de *La Nación*, el órgano informativo del partido. Medina fue un diputado sarcástico, enterado, sin dar ni pedir cuartel en el debate. Atacado por un cáncer que lo devoró, falleció en la tribuna. Sus amigos lo velaron. Sus adversarios también.

Nada supo Vicente Fox de Adolfo Christlieb Ibarrola, dirigente del PAN de 1962 a 1968. Peleó con Gustavo

Díaz Ordaz y ya moribundo le pidió a Efraín González Morfín que asumiera la continuidad ideológica del partido. Algo presentía, algo sabía el viejo luchador, liberal y cristiano.

González Morfín aceptó la candidatura a la presidencia de la República, enfrentado a Echeverría. Su gesto fue conmovedor, prueba de una amistad comprometida. Abogado, filósofo, teólogo, nada tenía que ver con los mítines de plazuela, las grandes concentraciones, los golpes bajos de la gresca política. Sufrió las consecuencias. Al fin de la campaña pretendió regresar a su trabajo en el bufete del Banco de Londres y México. Fue rechazado. La institución no podía tolerar su enfrentamiento con las huestes gubernamentales.

No hay indicio de que Fox se hubiera aproximado a estas historias. Tampoco los hombres del cambio.

En la vida que eligió, Christlieb conoció la traición adherida al poder, pero estaba preparado para evitar su ácido corrosivo. Alguna vez me dijo:

> Tengo una convicción: la política; una pasión, la escritura; y un gozo profundo, la lectura. Si la política me abandonara —yo nunca la dejaría—, elevaría la pasión al primer plano y el amor a las letras pasaría a un segundo nivel. Escribir es unirse a seres

vivos que llamamos palabras, de vitalidad inagotable, conocedores del mundo desde que el hombre abrió los ojos, profetas que saben del futuro, apasionados, lúcidos, crueles, bondadosos hasta la santidad hoy casi desconocida.

Por lo que hace a la lectura, Christlieb la mencionaba como el único paraíso posible en la tierra.

No fue el caso de Fox. Ignorante e inculto, no pudo elevarse sobre sí mismo. No tuvo escuela, ni maestros.

Christlieb conoció los avatares del artículo periodístico. Su primer texto apareció en la página siete de *Excélsior*, el ocho de octubre de 1960. Lo tituló: «Lacras del mal gobierno».

Sostenía que no hay manera de resguardar la vida privada frente a los ojos de los extraños. La persona, adonde acuda, lleva consigo su vida privada y su vida pública juntas, inseparables, una sola respiración. Son incontables las biografías, monumentos de la literatura, que se ocupan sobre la vida privada y la persiguen hasta por debajo de la cama, que la vida pública es pública y ha sido contada. Opinaba el líder panista que no ha sido escrito el código ni nacido la persona que pudiera medirse con «el monstruo enloquecido y maravilloso de la curiosidad».

En cuanto a la vida íntima, ésta habita un mundo sagrado. Es el mundo del secreto, las ilusiones, la angustia, el terror, los desgarramientos, los susurros, el amor. Es la vida sin los otros, la sociedad ausente.

Decía Christlieb, sentencioso:

«Hay una sola manera de llevar la vida a donde no la puedan herir el murmullo ni la maledicencia, el escándalo. La fórmula es simple: no hacer lo que no debe hacerse.»

Y sonreía, apenas:

«Además, no tenemos por qué engañarnos. A la postre, todo se sabe.»

Por mi parte, hoy diría:

«Si la señora se distrae con el escote, yo me asomo.»

III

De Diego Fernández de Cevallos, Fox se ocupó largamente. De nada le valió al Jefe Diego su altivez natural ni
la voz tronante. Fox arremetió contra él, directo. A la hora
de la verdad, dijo, le crujieron los huesos.

Escribió:

Siempre he pensado que cuando estás a punto de conquistar
la plaza necesitas perseverancia, temple, como el Pípila cuando
abrió la puerta de la Alhóndiga de Granaditas. Diego Fernández
de Cevallos llegó al punto más crítico en 1994 y, a la mera hora,
no le amarraron bien la piedra o se le hizo muy pesado cargarla,
simplemente se echó para atrás. Que nadie me malinterprete,
sobre Diego mantengo una opinión excelente. En el debate de
mayo de ese año quedaron evidenciadas todas sus virtudes, ya
que de 16% de la cifra electoral (cifra previa al debate) brincó a

32%, asumiendo desde ese momento el liderazgo de la lucha electoral.

Para mí fue inexplicable lo que sucedió después, el porqué no apretó el paso y conservó la delantera. Se han dado diversas explicaciones: una de ellas es que cuando estaba programado un segundo debate en materia económica, el fuerte de Zedillo, Diego se retiró a prepararlo; otra es que enfermó de repente. Ignoro qué habrá pasado, pero ésta fue la primera zafada de Diego. La segunda fue no haber aceptado la candidatura para contender por el Distrito Federal. Si le hubiera entrado, otro habría sido el resultado y, seguramente, nos habría encaminado directo a la presidencia de la República. Pero la historia de Diego no se repetirá: voy por la presidencia.

Las palabras tienen peso y color. Diego se zafó, se rajó dos veces.

IV

El hombre de las botas y la camisa abierta, lucidora la hebilla del cinturón con las tres letras de su apellido, vio en Ernesto Rufo y en Francisco Barrio, ambos con experiencia en el poder, a un buen par de colaboradores cercanos.

Rufo, aclamado al llegar a la gubernatura de Baja California, se ha ido oscureciendo, pero deja clara estela de su vida. Barrio fue alcalde inolvidable (Ciudad Juárez), gobernador olvidable (Chihuahua) y secretario lamentable (la Contraloría). El hombre que iba a meter en cintura a los grandes corruptos, el norteño que tenía lista la sartén para freír en aceite a los peces gordos que postraron al país durante setenta años, conservó limpia la sartén y guardó el aceite. El fiscal de estampa imbatible se contentó con charales, de esos que abundan en las lagunas mexicanas.

Entre los amigos de Fox, Roberto Hernández consolidó su fortuna en un abrir y cerrar de ojos. En la correspondencia que implica el afecto, puso su residencia de Paseo de la Reforma al servicio de Fox, para que ahí trabajara en los meses que correrían del dos de julio a la toma del poder, el primero de diciembre de 2000. Dueño de una isla, también se la ofreció a su amigo.

De *Fox a Los Pinos*:

> Roberto no concibe que la planeación económica la hagan otros que no sean economistas de una corriente de pensamiento o los famosos tecnócratas. Nada más falso que eso, todo mundo sabe que un ama de casa es mejor economista que los burros de presidente que hemos tenido. Basta nada más con ver el error que se cometió al elegir a un cuate como Zedillo de presidente; la primera magistratura requiere liderazgo, humanismo y humildad, características que no posee un tecnócrata. A éstos, a los técnicos, los contratas y les pagas un sueldo. ¿Cuánto puede costar Gurría? ¿Cincuenta mil pesos al mes?

La lectura del libro me llevaba de sorpresa en sorpresa. Como un ranchero que enfrenta a los gallos de su propio palenque, Fox enfrenta unas con otras las palabras de su

propio lenguaje. Habla de liderazgo, humanismo, humil-
dad y taza a un tecnócrata en dinero. ¿Cuánto cuesta?
Cincuenta mil pesos.

V

Fue complicada la relación de Vicente Fox con las mujeres, apenas un punto de partida para aproximarse al endemoniado enredo en que está metido. No existe en su biografía una nota, algún párrafo por ahí perdido que dé cuenta de algún estremecimiento, de esos que invaden los sentidos y nublan la conciencia. Un momento inolvidable debió acontecer el día en que se casó con Lillian de la Concha, compañera en la Coca-Cola. Fox dice, sus palabras sugieren cierta irrealidad, que él no se casó. Lo casaron. La expresión es textual. Y agrega: sólo Dios sabe cómo.

Fox da cuenta de su propia historia:

Nací el dos de julio de 1942, fui el segundo de una familia de nueve hermanos. Aunque vi la luz primera en la Ciudad de

México, a los tres días de nacido ya estaba instalado en el rancho. No era fácil acostumbrarse a la distancia que existía con León y, quizás por lo mismo, raras veces visitábamos la ciudad. Llegar a la escuela era toda una odisea y en ocasiones la misión de depositarnos sanos y salvos se le encomendaba a don Ángel, el lechero, y no dudo que más de uno haya pensado que se trataba de mi padre.

Releí el párrafo entre sorprendido e incrédulo, pero así fue relatado y así quedó escrito.

Sigue Fox, de su puño y letra:

«Para eso de las novias los cuatro hermanos mayores fuimos malos y peor aun para el baile. En las fiestas mi padre se dedicaba a pedirles a las muchachas que por favor nos sacaran a bailar.»

Luego, del libro, sólo del libro.

Después de haber estado desde chiquillo en escuelas exclusivas de varones, aquélla fue mi primera experiencia en una escuela mixta. Por supuesto que me pasaba viendo piernas y aunque todavía faltaban algunos años para que hicieran su arribo triunfal las minifaldas y los *hot pants*, si nos poníamos buzos alcanzábamos a ver un poquito arriba de las rodillas, pero hasta ahí.

Cuenta el futuro presidente de México:

Puedo presumir que me distinguí por otra cosa: era el encargado de poner los apodos a mi generación; de mis cuarenta compañeros, bauticé a quince; yo no me pude salvar y por provinciano me llamaron el Indio, aunque Luis Alonso, otro compañero de la carrera, acostumbraba llamarme Nelly, por el beisbolista Nelly Fox. Eso sí, los apodos que ponía nunca eran agresivos.

Y:

Yo no era noviero para nada, seguía igual de corto para eso de las muchachas. Recuerdo que tuve una en el Distrito Federal, otra en Culiacán y otra en Apatzingán. El único inconveniente era que andaba con las tres al mismo tiempo.

De la memoria foxiana:
«De joven preferí salir con mis amigos. Los sábados y los domingos los dedicábamos al deporte.»
Fox narra así su matrimonio y su divorcio con Lillian de la Concha:

Mi relación con Lillian, quien era secretaria de la compañía (la Coca-Cola) cuando yo me desempeñaba como director de mercadotecnia, empezó por Luz María. En cierta ocasión me preguntó si podía acompañar a Lillian a una fiesta y fue tal la insistencia que acabé aceptando. De ahí arrancó una historia que duró poco más de veinte años. Fue un noviazgo (*sic*) absolutamente normal, como el de cualquier pareja. Como yo viajaba tanto, nos veíamos los fines de semana que me encontraba en la Ciudad de México.

Después de ocho años de buscar un hijo, decidimos que lo mejor sería iniciar el procedimiento de adopción. La idea fue de Lillian y yo debo reconocer que fue lo mejor que pudo haber propuesto. Adoptamos cuatro niños: Ana Cristina, Vicente, Paulina y Rodrigo, después de procesos largos y azarosos hasta que, como padres deseosos de brindar todo nuestro cariño, pudimos abrazar a esas personitas.

Varios años después de regresar al rancho y adoptar a nuevos hijos, sobrevino el divorcio. Hasta la fecha mantenemos una buena relación, en beneficio de lo que más queremos en el mundo, nuestros hijos.

Desde que inicié mi lucha por llegar a Los Pinos, me preguntan constantemente qué voy a hacer con lo de la primera dama y hasta me inventan romances. Pero yo estoy totalmente inmerso y comprometido con nuestros cuatro hijos y con mis

tareas de servicio en la política; esto me consume las veinticuatro horas del día. Lo que sí rechazo tajantemente es que se diga
que para ser presidente de la República hay que estar casado.
Nunca tomaría una decisión como la de casarme por razones
de ese tipo o para taparle el ojo al macho.

VI

En los días que siguieron a la aparición de *Fox a Los Pinos*, el Club de Industriales vivió una jornada que no cualquiera podría reseñar: el candidato se reuniría con el grupo formado alrededor de Juan Sánchez Navarro. Éramos unos cuarenta o cincuenta que viernes a viernes desayunábamos y discutíamos de política. Juan proponía un tema y sobre el asunto nos lanzábamos muchos. A sabiendas de nuestras discrepancias, siempre evitamos el pleito.

No compartíamos Néstor de Buen y yo el entusiasmo de los comensales que, en número abrumador, hablaban de la iniciativa privada como motor del país. Los empresarios generaban empleos, atraían las inversiones del exterior, respetaban el estado de derecho y su trabajo honrado contrastaba con la corrupción de los políticos. Los buenos y los malos.

A mí me atraía Pedro Ojeda Paullada, de huesos tricolores. Adicto al PRI como a su origen, compadre de Luis Echeverría y José López Portillo, hablaba del pasado como de un tiempo que fue, materia de los historiadores. Decía que se camina de frente, no de espaldas, y que importaba el futuro como razón de un optimismo creativo. En el comedor, sabíamos todos que, sin expresiones explícitas, hablábamos de Tlatelolco, del Jueves de Corpus, de la guerra sucia.

En Ojeda miraba un símbolo de la impunidad. Era radical nuestra discrepancia y no cejábamos: «Sin el pasado, Pedro, no hay futuro. Sé de mí por mis padres, por el país, por la historia colectiva. El pasado importa tanto como el futuro. Son dos tiempos que se acompañan. Sin el pasado apenas soy». Respondía: «Julio, entiende, el pasado ya lo vivimos».

Entre los suyos, los empresarios y su ambiente natural, el exclusivo Club de Industriales, Fox fue recibido entre aclamaciones. La ovación largamente sostenida y las ardorosas miradas suspendidas en Fox eran propias de la recepción que se tributa a un héroe. A su visión y arrojo debía México la democracia que estrenábamos todos. La epopeya estaba ahí, sin respuesta razonable de adversarios y enemigos. No habría prejuicio que valiera frente a los hechos que se habían dado. Quedaban atrás setenta años de ignominia, el tiempo de un partido, único, partido-Estado, partido-Ejército, partido-Iglesia, partido-Nación.

Juan José Hinojosa, panista en un solo trazo y hombre de una sola línea, exaltado y fuera de sí, rememoró la «Obertura de 1812». Los rusos habían celebrado el triunfo sobre Napoleón con el estruendo de los cañones y las campanas trepidantes de la Plaza Roja. Así debíamos hacer nosotros, las campanas a vuelo de toda la República. Sentado a la izquierda del entrañable Juan José, ya muy enfermo, pegado a su cuerpo un sombrío tanque de oxígeno, vi cómo una y otra vez se llevaba el pañuelo a los ojos.

Alto hablaba Fox y el tono recio de su voz era casi un argumento, que así de contundente se escuchaba. Su sonrisa sugería a un hombre bueno que comprende la vida. Se presentó sin corbata, que tan bien le sentaba el estilo campirano. Su carisma estaba ahí, el encanto y la fuerza que transmiten los vencedores.

Fox respondía a las preguntas que le llegaban sin solución de continuidad. Respondía desenvuelto, seguro, dominador, como un atleta en las barras del gimnasio. Se hablaba de la patria liberada, la vergüenza del pasado, la mano firme, las víboras prietas, la cárcel para los corruptos, el subcomandante Marcos y la pipa de la paz, quince minutos entre aspiración y exhalación del humo romántico para festejar el amanecer de un México liberado.

En la algarabía, Mario Ramón Beteta pudo hacerse de la palabra. Su atuendo integraba su personalidad. El pantalón combinaba con el saco, el saco con la camisa, la camisa con la corbata, la corbata con el pañuelo de seda en la bolsa superior del saco, los zapatos con los calcetines y los zapatos y los calcetines con el resto de la vestimenta. No podía faltar el prendedor a la mitad de la corbata ni el ganchito dorado a la altura del cuello para mantener impecables los picos de la camisa. Todo él parecía recién planchado.

Argumentó en un tono uniforme que no existen los saltos en la historia y no tenía sentido la condenación absoluta del pasado priísta. Sostuvo que en el partido no todo había sido degradación y ahí estaban los hechos para demostrarlo. Su enumeración empezó por la reciedumbre de las instituciones de la Revolución mexicana, continuó enfáticamente con el Seguro Social y siguió, siguió, siguió, igual que un mini-informe, al más puro estilo del tricolor.

Yo hubiera querido saber más del pasado de Fox, de los años de crecimiento, informarme acerca de sus preferencias en el arte, la música que escuchaba, sus inquietudes de hasta adentro, las verdaderas. En la soledad de mi propio monólogo no encontré las palabras adecuadas para dar forma a una pregunta sin soslayo, frontal. Tampoco di con el tono para aludir a una de sus frases, que me había indignado. En su trabajo autobiográfico, escribió:

«¿Qué ofrezco al país? Honestidad, trabajar un chingo y ser poco pendejo.»

Opté finalmente por un tema que podía documentar: un manifiesto desdén por el partido que lo había postulado para la presidencia y su trato innoble para ilustres personajes del pasado panista.

Hablé de Gómez Morín, uno de los siete sabios, valor cultural y político de México. En su autobiografía, Fox se atreve a descalificarlo. Habló de «panistas tradicionales», uno de ellos Gómez Morín, hombre de tradiciones.

Dejó Fox para su currículum y algo más, el siguiente párrafo, imborrable:

Los panistas tradicionales afirmaban que, para asumir el poder, primero se tenía que dar un proceso de transformación cultural y política en la sociedad mexicana y algunos llegaron al extremo de no contemplar realmente la idea de asumir el poder: su objetivo era sólo criticar al sistema desde la oposición.

Fue arrolladora la respuesta de Fox a mis dichos, río verbal sin dique de contención:

Su compromiso con el partido y su admiración por Manuel Gómez Morín estaban vivos en las banderas que habían ondeado en su caminata por la República y en las plazas atiborradas por militantes de Acción Nacional. No se prestaba a discusión la fortaleza y cohesión del PAN. Las urnas hablaban por sí mismas.

Insistí: no había historia ni doctrina en el discurso del futuro presidente. Su lenguaje era coloquial, lentejuelas que brillan.

La respuesta fue reiterativa, acompañada de la cortesía formal que congela el diálogo. Y a otra cosa. La bandera azul ondeaba sobre la patria.

Isaac Chertorivski, fornido ex jugador de futbol americano —«soy un tanque», dice como saludo—, se hizo sentir en el salón. Lamentaba que Fox, un presidente para todos los mexicanos, hubiera incorporado a su campaña el estandarte de la Virgen de Guadalupe. Él era judío y devoto de su religión, como un católico de la suya. Las religiones representan valores espirituales sin beligerancia posible, razonó.

Un gesto de contrariedad alteró el rostro de Fox. Dijo que no le reprochaba que, al igual que muchos judíos, se colgara del cuello y luciera en el pecho la estrella de David y que él (Fox) ya había sido bendito por dos rabinos.

Chertorivski optó por la prudencia. Preguntó por los famosos «quince minutos» con Marcos y la estrategia para llevar la paz a Chiapas. Las palabras foxianas que siguieron habrían de retomar el ritmo ya conocido, el diálogo como instrumento capital, siempre el diálogo, el diálogo de buena fe, el diálogo constructivo.

¿Y la Universidad Nacional Autónoma de México, con sus graves y añejos problemas? Fox volvió sobre sus pasos: el arma de los políticos es la buena fe, la claridad en los planteamientos, el bienestar para todos, el país como razón última del esfuerzo, sin límite la entrega personal.

Después de largo tiempo en un horno, sudorosos todos, abandonamos el salón camino al pasillo que conduce a los elevadores del Club de Industriales. Junto a la puerta, Santiago Creel y Julio Faesler aguardaban a Vicente.

Me alegró verlos. Mi hermano Hugo, de clara inteligencia, me decía que Creel consolidaría la democracia en gestación que debíamos a Fox. Ponderaba el fino instinto del talentoso abogado —me decía—, su mano firme y suave, mano torera, su serenidad y las medallas que ya había ganado en buena lid. Apenas saludé a mi tocayo Faesler y me fui directo con Creel. Exaltado, le dije:

—Esto no va a ningún lado, Santiago. Salte.

Me miró benevolente.

—¿Ya leíste *Fox a Los Pinos*? —insistí, el argumento implícito.

—Leí el libro y lo presenté hace unos días. En mi intervención expresé el desacuerdo con el trato de Vicente a Diego.

Un sábado coincidimos en el rancho de Juan Sánchez Navarro, las fiestas que duraban amaneceres y anocheceres y hacían vivir al empresario de la Modelo. Creel, vestido con todas las galas del charro, hasta la pistola al cinto, montaba un caballo de estampa. Lo vi con el celular en la mano izquierda pegado a su oreja, que la mano derecha llevaba las riendas del pura sangre. Sólo acerté a exclamar, incrédulo y fascinado:

—¡Santiago!

—Es Vicente.

VII

En un lapso muy corto, casi un abrir y cerrar de ojos, Carlos Castillo Peraza conoció los extremos de la victoria y el derrumbe. Bajo su jefatura, el PAN ganó gubernaturas, senadurías, diputaciones y alcaldías en número nunca antes alcanzado por el partido. En las alturas, prestigiado como pocos, se lanzó por la regencia de la Ciudad de México convencido de su futuro. Durante la campaña política combatió el aborto sin concesiones en el embarazo, el alumbramiento y el futuro dramático de un deficiente mental, perdió el tiempo en una bohemia sin sentido —canciones, reuniones de amigos—, reaccionó cuando ya todo estaba perdido y renunció al PAN.

Su decisión le dolía y de esta manera la expresaba:

«Acción Nacional representa para mí la pertenencia, que es la vida. Sin el partido, queda de mí la sombra.»

Poco a poco se sobrepuso a la soledad de los vencidos y el escarnio que la acompaña. Volvió a las mesas redondas, las conferencias, escribió artículos, ensayos, libros y reconquistó su buena fama en las filas panistas y más allá. Como presidente del «azul» conoció a Vicente Fox. Le llamaba la Boca y previno su fracaso en los términos de un desastre. Decía, sin embozo:

«El día que Fox sea presidente de la República habrá que agotar la existencia de Resistol en el mercado. El partido quedará hecho añicos y habrá que pegar los pedazos, uno a uno.»

Cerca su muerte prematura (53 años), vio en Francisco Barrio a un posible jefe panista. Decía:

—Si toca el tam-tam y convoca a la renovación del partido, seré el primero en la fila.

—¿Volverías desde abajo?

—Como quisieran.

VIII

Vicente Fox admiraba a Lech Walesa. Ambos eran anticomunistas y ambos eran seguidores del papa Juan Pablo II. En Polonia, Walesa había arrojado a los rojos del poder y en México Fox haría lo propio con los corruptos del PRI. Walesa no tenía fortuna, Fox tampoco. Ambos eran trabajadores y ambos disfrutaban de una vida limpia. Era tiempo de campaña, la lucha por los votos.

Fox invitó a Walesa a México y Walesa comió en el rancho de Fox. En la reunión estuvo presente Carlos Castillo Peraza en compañía de dos de sus hijos. El líder panista había conocido a Walesa durante un viaje por Europa y un alto obligado en el antiguo Danzig de Hitler. Contaba que la sencillez del personaje lo había arrebatado. No se daba importancia y aceptaba con sencillez su falta de estudios. Ignoraba que hay sabios sin biblioteca, pero la pasión por el país lo ilustraba.

Contaba Castillo Peraza:

En el rancho de Fox le mostré a Walesa la foto que mis hijos y yo nos habíamos tomado en el astillero. Los muchachos en los extremos desplegaban una larga manta con el símbolo de «Solidaridad» en el centro. Yo me planté atrás del logotipo, orgulloso.

Sigue Castillo Peraza:

En la comida yo invitaba a Fox a la conversación, pero nada decía el dueño del rancho. A mi pesar y supongo que también el pesar de Walesa, la posible charla entre los tres se hizo diálogo. Sólo Walesa y yo platicábamos. De él me impresionaron el tamaño y la fuerza de sus manos, el rostro duro, cuadrado. Agradecía las atenciones que se le tributaban con una sonrisa íntima, la del hombre introvertido que se anima a la naturalidad. Esa larga y entrañable tarde me sorprendió que Vicente no tuviera qué preguntarle al hombre que admiraba como a un ídolo y al que había traído desde Polonia a su casa de Guanajuato.

IX

En su época de formación, a Vicente Fox no le interesaron los libros ni tuvo alguna aproximación a la cultura. Promotor de la Coca-Cola, viajó por la República sin conocerla. De aquí para allá tuvo noticia de la matanza del dos de octubre, asunto de otros. La jornada cruenta del Jueves de Corpus, el ocho de julio de 1976, tampoco le dejó huella. Lino Korrodi, su compañero de entonces y amigo de muchos años, rememora ese tiempo:

Él, Korrodi, se ocupaba de la venta del refresco en la Villa Olímpica y por ahí cayó Fox en los días enlutados de 1968. Sorprendidos, sólo eso miraron en los diarios las fotografías de los tanques en nuestro zócalo majestuoso. No existe en la memoria de Korrodi alguna otra referencia a la matanza, ni siquiera el morbo que siempre se pega a la tragedia.

Junto con José Luis González el Bigotón, Fox y Korrodi disfrutaban del tiempo libre. Se buscaban, se veían,
les gustaba la cerveza, eran jóvenes y se unían a las fiestas
de sus conocidos. Korrodi y el Bigotón gozaban con las
muchachas, las enamoraban y se desprendían de sus brazos
con la facilidad con la que ellas habían llegado hasta ellos.
Fox no salía de su estilo, se decía introvertido y había que
impulsarlo para que «ligara», pero apenas ligaba. Alto, fuerte, había jovencitas que lo rondaban sin atisbar en él algún
arrebato.

No obstante, sensible a su juventud y la introversión
que tanto se parece al amor, se hizo de tres novias al mismo tiempo, no de una como ordenan las leyes del amor.
Cercano el matrimonio del que abiertamente se hablaba,
prevalecieron dos de las tres.

Korrodi, el Bigotón y algunos amigos de la periferia
cruzaron apuestas, pues no había duda: una u otra llegaría
al altar. Cuenta Korrodi: «Yo aposté y perdí».

—¿Fue al matrimonio?

—Era mi amigo.

—¿Qué recuerda de la fiesta?

Busca en su memoria.

—Nada.

Vicente Fox y Lillian de la Concha viajaron a Europa

para festejarse en la luna de miel. Al regreso a México, el joven esposo volvió al centro de sus días: la Coca-Cola durante la semana de trabajo y los sábados y los domingos la reunión con los amigos y el deporte. «En ese entonces —cuenta Korrodi— íbamos al rancho de Vicente y conocimos a su madre, mujer virtuosa y espíritu dominante, la real señora de la casa.»

Al cabo de algunos años, el matrimonio infértil adoptó a cuatro niños: Ana Cristina, Vicente, Paulina y Rodrigo. A Korrodi lo conmovió la entrega de Vicente por sus hijos. Nada sobre ellos, nada que pudiera lesionarlos, padre atento a la plenitud de sus criaturas. «Admiré a Vicente —dice Korrodi—. Lo seguiría apasionadamente.»

Transcurrió el tiempo y sobrevino el divorcio. La maledicencia creció en el murmullo y la sonrisa torcida. Lillian se ocupaba apenas del hogar y Vicente se ocupaba poco de la señora. Se llegó a la burla y a la denostación pública.

X

Señora de ambición y temple, Marta Sahagún pudo satisfacer sus caprichos y desmesura al lado de Vicente Fox.

No vivió un romance como Eva Duarte, que enamoró a Juan Domingo Perón desde el primer minuto. Lo vio de frente y le dijo en las gradas del Luna Park, en Buenos Aires: «Gracias por existir, coronel». No necesitó la desmedrada actriz de sutilezas o algún ardid para atraer al militar. Le bastó su sonrisa, el cabello rubio, la gracia que desciende del cielo como un milagro.

Tiempo paciente le costó a Sahagún quedarse con Fox. Padeció un trato duro, reprimendas en público, humillaciones, pero resistió. Mundana, como no lo fue el ranchero que se hacía político, lo aventajaba en la vida. Fox no fue noviero, más que tibio con las mujeres y ella supo de los bailes desde jovencita («Tuve novio desde los doce años en Zamora»). Además, Fox sufrió un matrimonio infértil (adoptaría cuatro niños) y ella tuvo tres hijos con su esposo Manuel Bribiesca.

Lino Korrodi, testigo de los ires y venires de Fox, de sus amigos y conocidos, describe a Sahagún como un ser mediocre. «Sin ánimo de desprestigiar», no recuerda de ella algún mérito sobresaliente. Se cubría con una modestia que, hoy se sabe, ocultaba una ambición hasta literaria, historia de ficción cierta e irreal. Se vestía en la misma tienda que Lillian de la Concha, la esposa de Fox, «un poquito clase media» y si acaso lucía alguna joya pequeñita. Unido el pasado a su actual gloria palaciega, Rafael Rodríguez Castañeda la llamó en un texto periodístico: «la cenicienta del Bajío».

Ya en plena campaña, Vicente la hizo su vocera y ella hizo sentir que era algo más que un cuadro político. Vicente, hombre espectáculo en ese entonces, se mantuvo sensible al qué dirán y Marta, empeñada en mostrarse como mujer de Fox, respondió: que digan. Tiempo después, ya en Los Pinos, Fox se dejó alcanzar y Marta lo condujo al registro civil.

Siguió la historia, que mortifica: Fox aceptaba los estragos del tiempo y su esposa rejuvenecía en la costosa cirugía plástica y el maquillaje exquisito; Fox decaía política y humanamente y Sahagún se cubría de sedas y alhajas; Fox se declaraba demócrata y ella se le emparejaba y superaba, adalid de las mujeres. Primera dama, se hace llamar. Primera dama, expresión aristocrática, ofensiva.

Lino Korrodi no sale de su desencanto. Revive al Fox de los días de campaña y la voz se le hace amarga. Le gustaría que los sueños de entonces fueran los sueños de hoy y no la dramática enfermedad que abate al organismo completo del país.

Recuerda a Fox entusiasta, seductor. El fuego de la oratoria le empapaba la ropa, desencajaba el rostro y así se mostraba a todos, agotado y feliz. Fue un hombre que hizo visible la quimera. México se transformaría al un-dos de su paso enérgico, zancada de gigante. A riesgo de lo que fuera, castigaría a los corruptos y despejaría el horizonte de las nubes negras que anuncian sufrimiento. De las infamias en su contra, la lejanía de las mujeres en un varón tan atractivo, nada quedaba. Su valor civil destrozaba la mofa cruel.

«Siempre echado para delante —dice Korrodi—, yo vivía con orgullo mi amistad con Vicente. Me conmovía el trato con sus hijos, el celo por la familia, los valores de la intimidad. Cuánto lo quise, cuánto lo quisimos todos.»

XI

Pienso que a Fox le cambiaron la sangre o fue un vendaval que asoló su alma. No encuentro otra manera para explicarme su vertiginoso derrumbe. Temprano dio la espalda a amigos que parecían serlo para siempre. Sin una palabra de gratitud despidió a José Luis González el Bigotón, uno de los creadores de «Amigos de Fox». González sería de los primeros de una larga lista de nombres, borrados de su agenda. Con el tiempo, «Amigos» se convertiría en «Ex amigos».

González, claro como fue, se había opuesto a que Marta Sahagún manejara las relaciones públicas de Fox como experta, prepotente, escandalosa. Sahagún, cuenta Korrodi, enfrentó las razones del Bigotón con borbotones de palabras. Como recurso definitivo pretendió imponer su voluntad: ella era la vocera. La discusión subió de tono y hubo mentadas de madre. González hablaría con Fox y ella reaccionó como sabía en los momentos críticos: lloró, siempre lloraba, y habló de amor, que de amor siempre hablaba.

Fox y González conversaron de mala manera, lejos el ideal que llamaron México. Fox fue terminante: ella. Sin un resquicio para el entendimiento, haría saber su decisión a los allegados y al círculo de poder que se extendía. A partir de entonces, el tiempo trabajaría decisivamente en favor de Sahagún.

XII

Las circunstancias eran propicias y había que aprovecharlas. El dos de julio del año 2000 fue un día tocado por la magia. El triunfo de Fox en la batalla por la presidencia se unió al festejo por su cumpleaños número 58. La doble celebración en la sede de Acción Nacional fue estruendosa. Fox se mostró en su mejor momento: sonriente, poderoso, carismático, el futuro como una promesa de gloria. Los dedos índice y cordial de la mano derecha en alto fueron un mensaje electrizante para México y el mundo.

Marta Sahagún, la voluntad como un puño, aprovechó la jornada para avanzar en el propósito de su vida. Ya era claro para muchos, la prensa escrita, desde luego, su voluntad de reposar en la cama presidencial con derecho pleno. No perdería la oportunidad para hacer sentir que Vicente y Marta, Marta y Vicente, habían nacido el uno para el otro. Se apoyarían, dos en uno, uno en dos, milagro del amor.

Mientras las porras retumbaban en el edificio panista como en un estadio pletórico, los ojos de Marta vigilaban. Vieron de pronto a Lillian de la Concha, la esposa que fue de Fox, camino al centro del tumulto y sucedió lo que tenía que suceder. Lino Korrodi me contaría:

«Se me acerca Lillian, llorosa. No pudo saludar a Fox. Militares de traje y corbata le habían cerrado el paso.»

Ni Lillian ni ninguna otra. No habría mujeres en torno al presidente. Lucía Méndez había externado su deseo de acompañar al mandatario, soltero, en actos protocolarios y ceremonias *ad hoc*, esto es, sin el peso del Estado ni la autoridad del gobierno. El dato fue público y la hermosa actriz lo dejó correr. La llamé a Miami, donde vive:

—Son chismes —me dijo y me volvió a decir—. Yo le dije al presidente electo que aprovechara su carisma, la inmensa simpatía de que está dotado, su lenguaje sencillo y claro, para aparecer en televisión con personajes del espectáculo conocidos a nivel nacional. Eso fue todo.

—¿Conversaron, señora?

Nos reunimos en Los alcatraces quince o veinte minutos y le entregué unas páginas por escrito.

XIII

Como la noche sigue al día y la cosecha a la siembra, título de una novela grandiosa, el Matrimonio (con mayúscula) llegaría fatalmente. Asunto de alta prioridad, irrumpió el día de la visita de Estado del presidente español, José María Aznar. La agenda sufriría alguna alteración. Qué importaba, visto el suceso que sería, un testigo de lujo. A la ceremonia asistieron los tres hijos de Sahagún, no así los cuatro hijos de Fox. Sus desacuerdos con la señora, sobre todo de Cristina y Paulina, podrían provocar un mal rato, tender un velo opaco sobre la prístina blancura del enlace.

Lino Korrodi habló con ellos. Se trataba de convencerlos para que la emprendieran a Europa. Se pensó en algunas ciudades, entre otras Praga, la pasmosa melancolía de su triple naturaleza, la arquitectónica, la histórica y la humana. Al final quedaron Italia y España. Italia era Roma, el Vaticano y Juan Pablo II, el papa anticomunista que tanto admiraba Vicente Fox. España era España.

En su libro *Caminando*, escribiría la señora Sahagún de Fox tiempo después del matrimonio:

«Mi espíritu estaba sereno.»

Tenía razón. La batalla había terminado.

XIV

En la Universidad Iberoamericana, el 24 de marzo de 1999, Fox presentó su examen profesional para titularse como licenciado en administración de empresas. Candidato a la presidencia de la República, su tesis, *Generación del Plan Básico de Gobierno 1999-2000, en el estado de Guanajuato,* provocó desencanto. Sin imaginación ni hondura, el trabajo fue propio de un estudiante como hay tantos. No correspondía a la mente esclarecida de una persona que se piensa capaz de gobernar el universo contenido en un país, juntos el cielo y la tierra, los ángeles y los demonios.

Impensable la sociedad sin la fuerza creadora de los empresarios, Fox no se preparó para conocer la profunda vastedad de la nación. En el centro de su alma estaba la empresa que constituye el bien de todos. El país sería una empresa magnífica. No comprendía la magnitud de una obra de gobierno. La república, la tragedia de los tepehuanes, los tarahumaras, los lacandones y otras etnias en extinción, por ejemplo. Tampoco el significado del Estado moderno en un mundo cada vez más complicado. Fox se miraba en la victoria, empresario presidente para bien de México, su saludo.

Heberto Castillo, vivo por la vida que vivió, dejó una lección. Preso y brutalmente golpeado por su participación en los sucesos del 68, replicó a un amigo que le pedía que volviera los ojos a sus cuatro hijos pequeños:

«A todos los niños he de mirarlos como si fueran mis hijos. No entendería mi vida de otra manera.»

Heberto caminó el país entero serenamente, angustiado por la devastación física y moral que observaba por todos lados. De esta manera pudo conservar un trato cuidadoso con los viejos y los orates (no hay loco completo, integral), los hombres y las mujeres en cautiverio, los enfermos, las criaturas explotadas sexualmente, el mundo cada día más numeroso de los excluidos.

«Ellos —decía Heberto—, los marginados, constituyen la primera responsabilidad del gobierno.»

En la Iberoamericana, ese veinticuatro de marzo, un intelectual eminente, Abraham Nosnik, fue el presidente del jurado que examinó a Vicente Fox. Nosnik, filósofo de la comunicación social, expresa que nada le apasiona como la suprema tentación que se apoderó de él hace ya largo tiempo: la comprensión de uno mismo, del otro y la posibilidad en ambos de acercarse y entenderse en un lenguaje creativo. Piensa que el profesor y el discípulo han de repartirse la tarea en proporciones iguales: «Si tú sabes, yo sé; si tú ignoras, yo ignoro». En ambos está la salvación o el abismo. Así mira Nosnik el futuro de la sociedad, sus componentes unidos en el lenguaje.

En una larga conversación, previa a que le pidiera su opinión escrita sobre la prueba, resumió:

«El poder es la antítesis del aprendizaje.»

Las reflexiones del profesor lo llevaron a concluir que Vicente Fox nada aprendió a lo largo de su experiencia excepcional como candidato y presidente.

Éstos son los pliegos del doctor Nosnik sobre el examen de Fox:

ANÁLISIS DE LA TESIS.

COMENTARIOS Y CUESTIONAMIENTOS DE UN SINODAL

a) Llama la atención en el texto de la tesis que se habla de «planeación democrática». ¿Qué sería lo opuesto a este tipo de planeación? La planeación centralista o bien la realizada por élites tecnocráticas sin sensibilidad a las necesidades sociales, supongo.

En estos temas de planeación siempre existe la duda de qué tan dirigida y qué tan flexible resulta la planeación. Es evidente que se espera que un líder y su equipo dirijan un esfuerzo y señalen un camino. Por otro lado, si no existe participación social no existe una base de validación y legitimidad para poder dirigir el proyecto de transformación (en este caso) de un estado de la República.

Esta discusión simplemente no existe en la tesis.

b) ¿Contiene la tesis un diagnóstico objetivo de las condiciones del estado de Guanajuato?

Un diagnóstico que pretende ser objetivo incluye los aspectos positivos y negativos de la situación que mide y analiza. Es el caso de la tesis que nos ocupa, llama la atención que la balanza parece estar cargada hacia lo negativo cuando se trata de referir circunstancias históricas (administraciones pasadas y encabezadas por el otrora partido en el poder) y está cargada hacia lo positivo y esperanzador cuando se trata de lo que hizo hasta ese momento e intentaba seguir haciendo el gobierno estatal encabezado por Vicente Fox. ¿Cuáles son los aspectos positivos que se encontraron en esa época en dicho ámbito del territorio nacional?

El mismo documento incluye un análisis FODA, donde Fortalezas y Oportunidades son variables positivas y Debilidades y Amenazas son variables negativas. ¿Por qué no se buscó dicho balance y equilibrio también en el diagnóstico y no solamente en la propuesta de los análisis previos en el ejercicio de planeación que sirvieron como base en la elaboración del Plan Básico de Gobierno?

¿Por qué al hacer la crítica de la orientación de corto plazo de las necesidades sociales, económicas y educativas del estado de Guanajuato no incluyeron datos, información y evidencia generada por las administraciones anteriores?

c) En la tesis se afirma que el Sistema Estatal de Seguimiento apoya la administración de procesos y proyectos, desde la ejecución, control y medición de resultados. Sin embargo, al igual que en el punto anterior acerca de la objetividad en el diagnóstico del estado de Guanajuato al iniciar la administración Fox, en el punto de medición de resultados no se incluyen dos aspectos importantes: uno, la propia información o evidencia empírica de tales datos (es decir, de los resultados medios); y dos, los testimonios de la oposición acerca de lo que opina sobre estos resultados.

A pregunta directa y explícita del sinodal, Vicente Fox respondió afirmativamente, es decir, que los datos estaban consig-

nados en algún documento y que la oposición en el Congre-
so local se manifestó a favor de lo positivo de los mismos. Sin
embargo, nunca se exhibieron las mediciones ni otra evidencia
empírica al respecto.

El maestro Nosnik aprendió de la singular experiencia:
él en la tarima, el candidato en el pupitre. Escribió:

He dedicado buena parte de mi experiencia profesional a
pensar en la existencia de la objetividad en muchas de sus di-
mensiones (o sea, el conocimiento de uno mismo, el conocimiento del otro, de los demás y la relación creativa entre las
partes).

Aunque el tema de la objetividad no se trata en la tesis de
Vicente Fox, algunos comentarios y reflexiones que me desper-
tó el trabajo tienen que ver, precisamente, con la objetividad.

Hace muchos años asistí a una conferencia de una entre-
vistadora que, a la sazón, era corresponsal de guerra en el Medio
Oriente. Cuando fue cuestionada acerca de su capacidad de ser
objetiva en medio de la desgracia humana de la que era testigo
presencial, respondía que como periodista estaba entrenada para
ser objetiva. Nunca aclaró en qué consistía su entrenamiento,
qué conocimientos adquirió y qué habilidades desarrolló a propósito de dicho entrenamiento.

Por el contrario, cuando la periodista era cuestionada acerca de su condición de humana y, por lo tanto, su capacidad de ser empática con la tragedia y el dolor que debía reportar como profesional, reconoció que, efectivamente, muchas veces las emociones y los sentimientos dificultan su capacidad racional y su labor informativa.

¿Existe o no la objetividad? Si existe, ¿cómo es posible lograrla en medio de sentimientos, emociones, intereses partidarios y campañas políticas? ¿La objetividad existe también en quienes reportan la información acerca de los exámenes profesionales de candidatos a la presidencia, o bien, quienes revisan y analizan la tesis de una figura pública que puede llegar a ser el primer mandatario del país?

Si no existe la objetividad, ¿perdimos o acaso ganamos algo? ¿Estamos en riesgo como comunidad humana?

En lo personal creo en la posibilidad de ser objetivos. El problema de la objetividad en lo general se vincula con la necesidad y el deseo de aprender y ser mejores. En esto sigo a Karl R. Popper. Y también con Popper pienso que la objetividad es el proceso de aprendizaje y mejora por medio de errores. Este aprendizaje debe ser público para ser transparente. Es decir, debemos someter nuestras ideas a juicio, a escrutinio de los demás para poder aprender a ser mejores gracias al aprendizaje de nuestros errores, a nuestras fallas.

La antítesis del aprendizaje es el poder. El poder como búsqueda de status y en especial de dominio y, en el extremo, de sometimiento a los demás. El deseo de poder se enfrenta a la posibilidad de ser objetivos. Todos tenemos una capacidad muy grande para aprender y todos deseamos el poder en sus diferentes acepciones, desde ganar un argumento hasta la presidencia de la República, desde el reconocimiento de una buena nota periodística hasta una mención honorífica en un examen profesional.

Mi vivencia personal del examen y, en segundo plano de la tesis de Fox, fue atestiguar cómo el poder dominó el aprendizaje, aunque, paradójicamente, un examen profesional y un documento académico como una tesis de titulación están diseñados para que, así sea por unos momentos en la experiencia de los participantes, el deseo de aprender domine a las diferentes formas y manifestaciones del poder.

Pienso que la objetividad, en cualquiera de sus categorías teóricas y formas aplicadas, es la esperanza de ser mejores por medio del aprendizaje. Sin embargo, no creerlo así es condenarnos a nosotros mismos a buscar y obtener poder en cualquiera de sus categorías teóricas y formas aplicadas que evidencien lo limitados que somos al no aspirar o por lo menos no intentar ser mejores.

Los días antes del examen, el rector de la Universidad, Enrique González Torres, le pidió al doctor Nosnik que se ausentara de las instalaciones del plantel. La inminente presencia de Fox ahí había excitado las pasiones. La efervescencia correspondía más a un acto de campaña que a una rigurosa sesión académica. La manipulación, el afán de dominio cubrió los extremos. Se habló lo mismo de un examen arreglado para perjudicar al candidato que de la compra del jurado para calificarlo con honores. Hasta el doctor Nosnik —así me lo contó, excelente su humor—, hasta él llegó el rumor de que la señora Sahagún se empeñaba en conversar con él.

Cumplida una etapa de su vida y con el título profesional en la bolsa, Fox volvió a la campaña. Cubrió la República de colores, el confeti, las serpentinas y la sacudió con chinampinas y cohetes que nacían arriba y estallaban abajo. Gritaba a todo pulmón y comulgaba en el reposo de su alma religiosa, avivaba el combate contra los malos mexicanos y agitaba el estandarte de la Virgen de Guadalupe, supremo y sublime.

Las botas foxianas cobraron el valor del símbolo. Puntiagudas, fuertes, de una pieza, arrojarían a los priístas corruptos de Palacio Nacional. Nunca más, el partido único, clamaba y clamaban los millones que los seguían. Hombre de un largo afán, no sería como Francisco I. Madero, esplendor de una democracia que murió en la Decena Trágica. Otros eran los tiempos, otras las circunstancias. Otros serían los hombres.

En este tiempo de campaña, tiempo de formación, y en el tiempo que seguiría, nada aprendió Vicente Fox. Más aún, su inteligencia se ensombreció hasta perder los matices, reducida a una mancha opaca con algunos puntos blancos. Las exageraciones, las mentiras, la contumacia, los dislates, su desprecio virtual y activo por el arte, la cultura y la ciencia; su ignorancia supina, los negocios familiares y sus ramificaciones, árbol florido: la cesión a su mujer de iniciativas que le eran propias, tanta torpeza junta terminó por hacer de él una caricatura política. Devoto de la Iglesia católica, apostólica y romana, claudicó de sus principios y vivió en adulterio; amantísimo de sus hijos, les cobró distancia y fue apartándose del camino seguro de la amistad.

Fox exaltó a su esposa como prueba viviente de la transformación acelerada del país. La llamó abanderada del cambio, fervoroso homenaje que no ha repetido en persona alguna. Fue gráfico el presidente al mencionar «las faldas» de su mujer como prueba del cambio.

XV

A fines de 2001 tuve un breve encuentro con el presidente Fox. A través de su secretario particular, Alfonso Durazo,
le había pedido el acceso a los reclusorios de máxima seguridad. Pienso que en los extremos de la sociedad es posible
mirar al país sin anteojos prestados ni guías aleccionados.
Los presos y los torturados dicen tanto del país como los
dueños de fortunas fraguadas en la oscuridad.

El secretario de Seguridad Pública, Alejandro Gertz
Manero, *rector ad honorem* de una universidad privada, mo-
tociclista de chamarra negra hasta el cuello, la voz militar
y el ademán fulminante, pretendió reducir al mínimo el
proyecto periodístico. Acataría la orden, pero mandaría
preguntar a los reclusos si aceptaban o no una conversación grabada con el periodista. «Usted no hará mi trabajo,
lo haré yo», le dije en una de tantas disputas.

En Puente Grande, la cárcel de máxima seguridad de Guadalajara, conocí a Zulema Hernández, la amante del Chapo Guzmán, entonces cautivo. La reclusa, rebelde por naturaleza, estudiante de preparatoria con notas altas, asaltante a mano armada, lectora asidua de poemas y novelas, era en sus pantalones ajustados y los corpiños a modo para mostrarse un permanente alarde sexual.

En el comedor del reclusorio bebíamos café, desayunábamos huevos revueltos con frijoles y platicábamos en sillas contiguas. Nacía entre nosotros una amistad extraña, noble y morbosa. No le habría representado problema alguno plantarme un beso súbito, avisada una de sus amigas para que tomara la foto del momento, que todo era posible donde se traficaba con drogas como en un mercado. Fui sensible al incidente posible, pero nunca se me ocurrió que pudiera ejercer un mínimo chantaje en mi contra.

La recuerdo un día, nostálgica:

«Los hombres son muy pendejos, seguramente tú también. Piensan que las mujeres perdemos la virginidad cuando su pene nos penetra. La virginidad se pierde con el primer orgasmo, el gusto salvaje de la sexualidad, la vida que, ahora sí, será de otra manera.»

Luego, las palabras como un soplo:

«El Chapo.»

Cumplida su condena, Zulema volvió a la libertad para regresar al encierro. Tuve con ella un último encuentro en la cárcel de mujeres, en Tepepan, hoy transformada en Centro Femenil de Readaptación Social Tepepan Torre Médica. Acompañada de la directora del reclusorio, Lic. María del Carmen Serafín Pineda, la vi sentada sobre el delgado colchón de su celda, cruzada la pierna. Conversaba, fumaba y también hablaba por el celular. El pequeño teléfono lo guardaba en lugar seguro: la vagina. Fue una tertulia grotesca.

El doctor Carlos Tornero, penitenciarista calificado, me había advertido:

Pronto volvería Zulema a la cárcel. No existe en el país un proyecto viable para rehabilitar a los internos y la sociedad carece de recursos para asimilar a las personalidades fuertes que, una vez libres, regresan a las mafias.

El hampa crece en la calle, en las empresas, en la política. El mundo carcelario apuesta a la descomposición social.

Invaluable sería para mí el conocimiento personal de esa zona abyecta, las jaulas de odio de los centros de máxima seguridad. Tuve la oportunidad de conocer el deterioro mental de Aburto, que lo lleva a la locura; la nauseabunda crueldad del Mochaorejas, a quien le gustaría tener un hijo para regalárselo a la señora Josefina Nava y «compensarla» por la pérdida que lloraría para siempre; la sevicia policiaca contada como una fiesta que se disfruta lentamente; los narcos que hacen negocios, se matan adentro y ordenan matar afuera.

En el encuentro de veinte minutos con el presidente, le agradecí la oportunidad que hacía posible para el desarrollo de mi trabajo. Fue afable y creí legítimo hablarle de Julio Scherer Ibarra, sometido a una persecución insana por parte de la Procuraduría Fiscal de la Secretaría de Hacienda. El acoso se había iniciado el 6 de abril de 2001 y persistía.

Fue breve el comentario del presidente: no había llegado a él noticia alguna de que Julio hubiera cometido algún ilícito.

En espera de algo más, guardé silencio. Deseaba, después de largo tiempo transcurrido, escuchar que se investigaría (lo ya investigado, me dije) y se pondría punto final al asunto. O algo parecido.

—No se preocupe, Julio —añadió el presidente.

Me sentí turbado, como si mi interlocutor se desvaneciera y no pudiera asirlo. Sus palabras eran líquidas, se iban entre los dedos.

La conversación quedaba cerrada, definitivo el «no se preocupe», qué más, si era expresión presidencial.

Dije por decir:

—Borrón y cuenta nueva, señor presidente.

—Borrón y cuenta nueva —escuché, indiferente.

Un día decidí conversar con el secretario Creel. Le pedí audiencia. Me recibiría de inmediato.

—Dile a Julio que no se preocupe. Me mantengo pendiente del asunto y no considero que exista motivo de alarma.

—Ha pasado mucho tiempo, Santiago.

—¿Por qué no me llama Julio? Lo conozco, nos conocemos.

—Gracias, Santiago.

Julio y yo vimos al procurador de la República. La dependencia, nos dijo su titular, general Rafael Macedo de la Concha, estaba para hacer cumplir la ley. Hablaba pausado, en voz más bien baja, poseído del deber. Subrayó que vivíamos en un estado de derecho. Los problemas, los que hubiera, se resolverían limpiamente, en apego estricto a derecho.

—Necesito unos papeles, Julio (los enumeró).

—Ya se los hice llegar, procurador. Se los entregué al ministerio público.

—Está bien. Me haría falta un resumen acerca de lo actuado. ¿Podrías hacérmelo llegar en un tiempo perentorio?

—Mañana mismo, procurador.

Finalmente, Julio optó por enviar una queja a la Comisión Nacional de Derechos Humanos. Frente al agravio, optó por el recurso moral. Fue la instancia a la que se acomodaron su carácter y sus convicciones.

Obligado a su defensa como un deber primordial, buena parte del tiempo se le había ido de mala manera, tiempo irrecuperable, tiempo amargo.

Más tarde, el doce de noviembre del año 2003, uní mi queja a la de Julio. Envié el documento al doctor José Luis Soberanes Fernández, presidente de la Comisión Nacional de Derechos Humanos.

Abre así:

«Mi vida no es sólo mía. Una parte, no sé cuál, no sé cuánta, pertenece a Julio Scherer Ibarra.»

En seguida:

Julio ha padecido el acoso de la Procuraduría Fiscal de la Federación, de la Secretaría de Hacienda y Crédito Público. Como no existe tiempo sin calendario, es fácil ubicar el día en que dio comienzo la persecución (seis de abril de 2001). Lapso tan prolongado ha sido propicio para que se le envuelva en la bruma de la sospecha. Los embates han sido esquinados, equívocos, vaho sobre un cristal limpio. Notas insinuantes, esas que encubren el origen, filtraciones, se les llama ahora, han sido material sobrado para el morbo y la mala fe. También ha sido contumaz la ronda oscura del castigo, la cárcel.

Scherer Ibarra podría contar que en un solo día (14 de julio de 2002) cayeron sobre él nueve denuncias simultáneas. Las denuncias eran iguales y los cargos pudieron haberse conformado en paquete, o al menos así lo sugeriría el sentido común. Pero no fue así. Las denuncias fueron turnadas a distintos ministerios públicos. Habría, pues, que litigar en nueve escenarios distintos, atenerse a nueve citatorios, repetir nueve veces los mismos argumentos, ofrecer pruebas idénticas una y otra vez. Salta a la vista que las muchas horas gastadas en las diligencias correspondieron, volvieron estéril un tiempo irremplazable.

Sé por experiencia, lo sabemos todos, que el sufrimiento de un enfermo no es personal, no es sólo de él. Impacta a los seres que lo rodean. Ellos también sufren la enfermedad, la padecen. La persecución a Julio me afecta en sus muy variadas consecuencias. No aludo a mi trabajo como periodista, aludo a mi vida en su conjunto.

Toda enfermedad tiene su historia. Así lo dicen los médicos cuando inician el trato con un paciente. Los delitos también tienen su historia y en este caso habría que detenerse en el comportamiento de funcionarios que confunden su tarea, transformada la autoridad en poder. Grave presagio aquel que los lleve a seleccionar a sus enemigos y a sus víctimas.

XVI

Mi abuelo, Julio García, fue presidente de la Suprema Corte de Justicia de 1929 a 1936. En su época, tiempo aciago del país, amparó contra actos de la justicia castrense a los militares fuera de servicio. Era imposible olvidar la barbarie consumada contra los generales Arnulfo R. Gómez y Francisco Serrano, liquidados de manera salvaje más allá de que estuvieran fuera de los cuarteles.

En esos años, la Corte también decidió que los hacendados no podrían interponer amparos en materia agraria contra resoluciones del presidente de la República y los gobernadores de los estados, ni contra dotaciones y resoluciones agrarias. El ministro comentó acerca del fallo: «con este criterio ahora serán resueltos 3500 expedientes que existen en la Corte».

Amenazado por la gangrena que subía por su cuerpo, le fue amputada la pierna derecha. Vivió la etapa en un sillón y conversaba largamente con su hija Paz, mi madre. La aconsejaba:

«Cuando tus hijos sean grandes, diles que es de tal manera abrumador el poder de un presidente de la República que no puede permitirse un solo enemigo personal.»

No acierto a disociar la reseña familiar con los días modestos de mi vida. A Julio Scherer Ibarra, altos funcionarios del gobierno de Vicente Fox lo acosan desde el seis de abril de 2001. Cuento lo sucedido porque no es historia única:

Durante una cena con el contralor Francisco Barrio, fui sensible a los primeros, inciertos signos de animadversión que acompañarían a Julio en un largo futuro. En los días navideños de 2000, Barrio y yo habíamos acordado reunirnos en un buen restaurante con el propósito de acercarnos después de un prolongado desencuentro. Yo había estimado en verdad a Barrio y había procurado hacérselo sentir de la mejor manera posible. Creí en su veracidad y rectitud. De los que resisten a pie firme, llegué a decirme cuando su lucha por la alcaldía de Ciudad Juárez. Ocurrió, sin embargo, que ascendió en su carrera política, gobernador de Chihuahua, primero, funcionario federal después. Había venido a menos nuestra relación y, en una tarjeta que le hice llegar durante su primera entrevista de prensa como contralor, así se lo hice saber.

A la cena se presentó con su señora esposa. El signo para el reencuentro no podía ser más alentador. No obstante y a partir de un incidente menor, una diferencia con Javier Corral, su gran amigo, me habló de Julio. Me dijo, como quien prepara el tiro de gracia, que podría estar involucrado en un fraude. Se trataba de un ilícito cometido por CAZE (Consorcio Azucarero Escorpión), que presidía Enrique Molina y del cual Julio era su director general.

La insidia de Barrio me alertó. De la mejor fuente yo tenía conocimiento del ilícito y de qué manera la denuncia correspondiente había sido turnada a la Procuraduría del Distrito Federal. Esa noche supe que mi relación con Barrio había terminado para siempre.

Julio había llegado al grupo por recomendación de Pedro Aspe, unidos maestro y discípulo en una relación de quince años. El ex secretario de Hacienda le había indicado que la industria era poco menos —o poco más— que un caos y había que rescatarla tanto como fuera posible. Echeverría expropió los ingenios, Salinas los privatizó. En el desorden de dos políticas contradictorias, se dio al traste con la industria. Sus deudas eran enormes.

CAZE, mil millones de dólares; Santos, Machado, Grupo Azucarero México, otro tanto.

El futuro director se había iniciado en los problemas del azúcar como gerente de un pequeño ingenio en Oacalco, Morelos, allá por sus veintitantos años. Ahí empezó a conocer las condiciones en que viven 175 mil campesinos, asados entre el ardor del clima y el fuego de los cañaverales.

XVII

Duele mirar hacia atrás, cuatro años seis meses de litigios, amenazas veladas o no tanto, recorridos sin fin por las procuradurías, querellas, réplicas, contrarréplicas, consultas con especialistas de las más variadas ramas del derecho, con fin de responder una a una las acusaciones de la Secretaría de Hacienda, enderezadas a través de su procuraduría fiscal.

Fueron naciendo montículos de papeles que crecían como montañas. La Procuraduría Fiscal complicaba el procedimiento. Una denuncia contra un ingenio la repetía catorce veces (nueve eran los ingenios de CAZE) y una a una había que responderles como si su materia fuera distinta. Esto exigía un seguimiento riguroso de los asuntos. En derecho, se sabe, importa la puntualidad en la respuesta a las acusaciones de la parte adversa. El retardo en un trámite menor puede dar al traste con todo. No hay burocracia como la de las leyes que se enredan con las leyes.

El gobierno había otorgado un subsidio a la industria. El precio del azúcar estaba deprimido en el mercado internacional y, sin un auxilio económico extraordinario, los males en la industria se agravarían. CAZE fue acusada, señalada como fraudulenta. No había ejercido el subsidio que se le había otorgado. Peor aun: de él se había apoderado.

La acusación no pudo sostenerse por sí misma. Era inexistente el delito. Nunca llegó el dinero a manos de los industriales. El propio gobierno lo retuvo a través de la Financiera Azucarera como parte de la enorme deuda que los industriales habían contraído con el gobierno a lo largo de años desordenados, el caos del que Pedro Aspe había hablado con Julio. La Procuraduría Fiscal actuó como parte acusadora, función que correspondía a las secretarías de Agricultura y Economía, dueñas del dinero, del subsidio.

CAZE también fue acusada como retenedora de cuotas del Seguro Social. La procuraduría batalló en este asunto sin futuro. En un informe a su Consejo Técnico, el catorce de agosto de 2000, el Seguro Social había puesto en claro que no se podía denunciar el hecho, sencillamente porque no había delito. Así lo expresa el documento:

Al haber quedado derogada la ley que imponía a los ingenios la obligación de retener dichas cuotas y enterarlas al IMSS, sin que se haya promulgado alguna nueva disposición que los obligue, únicamente se cuenta con el apoyo que representa lo estipulado al respecto en los contratos mercantiles que celebran los ingenios y los productores. Sin embargo, dicho instrumento jurídico no constituye el sustento idóneo para el fincamiento de la responsabilidad en comento.

En el caso del director del consorcio azucarero, había renunciado al consejo de administración en fecha anterior al cargo formulado por la traída y llevada retención de cuentas. No valió el dato para la fiscalía. Argumentó que todo consejo era responsable, único su destino, irrevocable. Juntos habían estado, juntos seguirían hasta el final.

Dos últimas querellas figuran en los expedientes abiertos por la Procuraduría Fiscal, la del ingenio El Potrero y la de Atencingo. La primera está resuelta. Declaró la procuraduría que en el caso de Julio Scherer Ibarra y Jorge Gastélum no había delito que perseguir, ya fuera de CAZE. No fue el caso de Enrique Molina, que continuó en la presidencia del Consejo. Sin embargo, no hay manera de borrar el ánimo persecutorio de la autoridad, pues de los siete consejeros sólo señaló a tres.

Por lo que hace a Atencingo, la querella asciende a dos millones quinientos mil pesos, retenidos en los meses de mayo y diciembre de 1999. Julio ya había renunciado a CAZE cuando ocurrió el supuesto delito. Difícilmente podría haber retenido y enterado a la Secretaría de Hacienda de un asunto que no estaba en sus manos.

En el caso de Manuel Rodríguez Arregui, uno de los nueve consejeros, la fiscalía le expidió, además, un perdón específico, al que la autoridad tiene pleno derecho. En las circunstancias que en plena medida gobiernan al mundo, se dio el caso de que la madre de Rodríguez Arregui fue un tiempo secretaria privada de Roberto Hernández.

XVIII

Para entender a Fox había leído a Fox (*Fox a Los Pinos*) y para entender a Sahagún había leído a Sahagún, *Marta, la fuerza del espíritu.* Publicado el libro con ese título en octubre de 2000 y firmado por Sari Bermúdez, aparece en forma de entrevista, preguntas sencillas y largos entrecomillados. En éstas, Marta habla de Dios, quien escribió líneas fundamentales en su corazón de mujer.

La obra principia con una dedicatoria de Sahagún a Fox y a continuación una reflexión mística. Dice la dedicatoria:

«A Vicente, quien por encima de la inercia de la historia apeló a la fuerza del espíritu para cambiar México.»

La fuerza del espíritu de Fox es la misma fuerza de Sahagún, dos fuerzas unidas en una para cambiar México. La obra se resume en un homenaje de Marta a Vicente, y de Marta a Marta, Dios presente.

El pensamiento místico de Teresa de Jesús, reproducido por la señora, expresa:

«Si en medio de adversidades persevera el corazón con serenidad, con gozo y con paz, esto es amor.»

Marta la fuerza del espíritu consigna también los méritos de la autora del trabajo. Informa el libro en su elegante solapa blanca:

Sari Bermúdez. Periodista, conductora de televisión, ha sido promotora y divulgadora del arte, la filosofía y la cultura de México en el mundo. Actualmente es responsable del proyecto cultural del equipo de transición del presidente electo, Vicente Fox.

Discurren las amigas y pregunta Sari a Marta:

Marta, llega el día en que Vicente anuncia su intención, su voluntad de perseguir el gran proyecto, de luchar para ganar la presidencia de la República, en ese momento, ¿toma tu trabajo de comunicación social otra dimensión? ¿Tiene otros alcances? ¿Qué pasa en tu mente en estos momentos? ¿Cómo escala tu mente un periodo, digamos provinciano, al momento en que te enamoras del proyecto de cambiar México?

Responde Marta a Sari:

Es una transmutación de un proyecto que lo hago propio, que lo hago parte de mi vida, dotando de profundidad todo lo que hago, pienso o digo, es una consecuencia natural de lo que entonces se convierte en mi razón de ser. Esto sólo se explica como parte de un proceso imbuido en una gran mística, que uno mismo no conoce de donde viene, quizás es un llamado que decidí seguir de manera intuitiva, lleno de valores. Es parte de una voz interior que me guió por el camino correcto, lo cual me dio valor de atreverme a seguir mi destino. Vivir es atreverse a luchar por lo que más amas y es permitirte, a pesar de los pesares, a ser feliz. Finalmente creo que no hay cosa que valga la pena en la vida, si eso no te lleva a encontrar tu propia felicidad, esa felicidad que solamente el ser humano tiene proveída por ese Dios libre y lleno de amor que es el autor de todas las cosas.

Continúa Marta, mística:

Los hombres y las mujeres no somos solamente cuerpo y alma, sino cuerpo, alma y espíritu y que quizá justamente lo más bello que tenemos es el espíritu. Al espíritu hay que alimentarlo de pensamientos y reflexiones profundas para tener como resultado un trabajo y actitudes coherentes con nosotros mismos. Dios nos manda señales y pruebas que nos permiten leer las líneas que Él puso en nuestro corazón y sólo entonces nos decidimos a leerlas. Por mi parte, la decisión de esta etapa de mi vida fue leer y entender las líneas que Él puso en mi corazón y seguirlas hasta el final de la vida, sin dudarlo.

XIX

La reunión con la señora Fox tuvo lugar a principios del
año 2003, joven su matrimonio con el presidente de la
República. Ya a esas alturas, el ejercicio de un poder que
no le correspondía, la corrupción en la que se veía en-
vuelta y la ausencia de autocrítica habían hecho de ella
una mujer públicamente inescrupulosa. Lo quería todo: el
dinero, la influencia, la fama, la belleza y de todo se ufana-
ba: su esposo no tenía defecto mayor, ella tampoco. Juntos
transformaban México.

Vestía de blanco, los pantalones, la blusa de manga cor-
ta y los zapatos cómodos. Hilos de oro adornaban su cuello y en la muñeca derecha lucía una pulsera delgada y en
la izquierda un reloj con piedras diminutas. Brillaban sus
ojos y había un ritmo en los movimientos de su cuerpo
flexible. La cara mostraba la rigidez provocada por la ciru-

gía plástica. La estampa de la mujer me pareció dura, dominante, quizá altanera.

Su saludo fue cordial y su sonrisa una expresión de bienvenida. La conversación sería informal. Me pidió franqueza. Al personal solícito que la rondaba le ordenó que no la interrumpieran. Cumplió el ritual: no estoy para nadie.

Por aquellos días, la pareja presidencial había visitado Perú y los periodistas limeños se habían interesado sobre todo en la señora. *El Comercio*, el principal diario del país, le había dedicado su contraportada con una «cabeza» atractiva: «La Indomable Señora Fox». El título había nacido de un trazo autobiográfico de la entrevistada: «Siempre he luchado para que nada ni nadie domine mi vida».

Ante la reportera Milagros Leyva, se mostró satisfecha, feliz. Le habló de su vida con Vicente, una historia de amor llena de luz:

Fue maravilloso. Sentíamos que estábamos compenetrados más que comprometidos y con esta madurez logramos algo que es muy difícil en las relaciones, que es la aceptación plena al querer tal y cual es la otra persona. Cuando se es joven piensas en el príncipe azul, pero éste nunca llega. Otras veces tenemos la idea de que por amor la gente cambia y eso es falso. En la madurez el amor es más sereno y tolerante. Yo no quiero que Fox cambie ni un solo ápice, me gusta su personalidad y me gusta como hombre.

«¿Cómo se conocieron?», preguntó Milagros:

Yo trabajaba con él y me convertí en su mano derecha sin proponérmelo. Las mujeres tenemos una gran cualidad: cuando nos hacemos cargo de algo lo hacemos con responsabilidad y pasión. Yo me entregaba de bruces y en el medio surgió un sentimiento de admiración, con el tiempo se convirtió en amistad y luego en un gran amor.

Volvió Milagros:
Recuerda cuando dijo: «¿Este hombre me trae loca?».
«Fue todo un proceso. De pronto un día comenzamos a cruzar miradas, a hablarnos con los ojos hasta que nos hicimos inseparables.»
Volvió Milagros:
«¿Cuándo le dijo para formalizar?» (*sic*)

Dos días antes de la boda. Él ya era presidente y yo era responsable de la comunicación social, venía el dos de julio y además de ser su cumpleaños íbamos a tener la visita del presidente Aznar. Le estaba diciendo que teníamos mucho que hacer, que se acercaba su cumpleaños, que se cumplía un año de haber ganado las elecciones, que venía Aznar y que él tenía un plan de trabajo. El presidente me miró y su única respuesta fue: «Quiero que ese día nos casemos».

«¿Y usted?», remató Milagros:

«Me quedé muda, absolutamente muda, pero feliz.»

La historia narrada no era la historia conocida en México. Una era la pareja idílica de Lima y otra la pareja tormentosa de los Pinos. Reporteros nacionales y extranjeros habían dado cuenta, no de una historia de amor, sino de una relación complicada que terminó en su exitoso matrimonio con Vicente Fox, tragicomedia mexicana que nos envolvió a todos.

Acudí a la cita con el deseo de escuchar a la señora y, de ser posible, hablar de dos asuntos que le incumbían: su irrupción desmedida en el área del poder y una visita vana y amarga al Hospital Infantil. Me dijo, siempre cordial, que deseaba conocer mis puntos de vista sobre la situación del país y escuché la frase que acompaña a mi vejez: «Usted, tan experimentado».

La vida en *Proceso* ayuda a la franqueza. No tenía motivo alguno para ceder a una inhibición cortés. Me valdría del lenguaje que correspondía a la oportunidad puesta a mi alcance: expresarme, sólo eso.

Fui directo.

La esposa del presidente sobresalía en los medios de comunicación de una manera abrumadora. Eran constantes las declaraciones, fotografías, crónicas, noticias, reportajes, antes todos los géneros del periodismo determinaban el crecimiento de su imagen pública en mengua de la personalidad del presidente.

Apoyado en el viaje de la pareja a Perú, aludí a un dato que me pareció significativo. Los medios limeños habían cubierto profesionalmente las actividades del presidente, pero se habían interesado en su esposa. Coincidí con los reporteros de aquel país. En mi caso, puesto a elegir entre una entrevista «con usted, señora, o con el presidente de la República, no tendría duda. La entrevistaría a usted».

En respuesta, la señora subrayó su desacuerdo en términos rotundos. Ella estaba para exaltar la figura del presidente Fox y en Perú, en México y en donde fuera, había sostenido que él daba las órdenes, sólo él y ella opinaba, sólo opinaba. Así es, subrayó, elevado apenas el tono de voz. «Le repito: el presidente ordena, yo comento.» Hizo hincapié en su libertad personal, el presidente sabía cuanto ella decía y hacía.

Estaba equivocado. El punto central no era el que yo había abordado, afirmó. La figura histórica del cambio en el país era incontrastable. Vicente Fox había encabezado elecciones ejemplares y los mexicanos habíamos accedido a la democracia sin violencia gracias a la convicción de Vicente Fox, a su entrega generosa. Por él, habíamos vivido un maravilloso dos de julio. La cuestión profunda era ésa y no otra.

Comprendí que la insistencia en el tema me habría inmovilizado en un círculo vicioso. No era el caso.

«Me gustaría hablar con usted del Hospital Infantil, señora.»

Sentí que su curiosidad me acompañaba.

El seis de enero de 2003, día de reyes, la esposa del presidente atrajo la atención debida antes que a nadie a los niños y a sus familiares, a los médicos, los psicólogos, las enfermeras, las afanadoras y el conjunto de trabajadores del hospital fundado por el doctor Federico Gómez el año de 1943.

Me sería imposible repetir las palabras de mi conversación en Los Pinos con la señora Fox, pero me es absolutamente factible contar lo sucedido aquel día en el hospital. Escuché entonces relatos que me impresionaron y los acompañé de notas que conservo.

Fue una jornada de humillaciones. Oficiales vestidos de civil revisaron los maletines de los doctores, las bolsas de mano de las enfermeras, las pequeñas bolsas de papel con algún refresco y galletas para el momento del hambre o el cansancio.

—Su identificación —exigían los militares bien trajeados.

—Ésta es mi casa.

—Su identificación.

—Aquí trabajo desde hace diez años. Todos me conocen. Pregunte a quien quiera.

—Su identificación o no pasa.

Programada la visita de la señora para las once de la mañana, dos horas antes de la recepción oficial fueron suspendidos los servicios de los elevadores. En los días ordinarios, resultan insuficientes. Su espacio interior es pequeño, apenas para una camilla y una persona, dos a lo sumo. Ese día, los quirófanos permanecieron abiertos para los casos urgentes.

Miembros de la milicia presidencial fueron los encargados de resguardar los elevadores de manera estricta. De cara al gentío que entra y sale del hospital desde las siete de la mañana, perturbaron el orden en el viejo edificio de la calle de Doctor Márquez. Hubo niños que, acompañados de sus familiares, ascendieron trabajosamente por las escaleras hasta los pisos dos, tres, cuatro para asistir a la consulta. Allí los aguardaban sus médicos, algunos impacientes. Los reclamos del hospital rebasan las posibilidades de su equipo e instalaciones. El presupuesto es magro y los doctores no deben perder un tiempo precioso. El trabajo es febril. A una consulta sigue otra, otra, larga la fila de los pequeños. El niño que perdió el turno lo perdió hasta el día siguiente o irremisiblemente.

Por razones de seguridad —se informaba en sordina— el estado mayor también se había hecho cargo del estacionamiento contiguo al hospital. Los dueños de automóviles, modestos en su gran mayoría, tuvieron que trasladarse a tres cuadras de distancia y cubrir la cuota correspondiente para que cuidaran de sus vehículos. No es un dato menor. Los psicólogos, que auxilian a los deudos que lloran la muerte o la oscuridad mental de sus criaturas, perciben sueldos de hasta trece mil pesos mensuales y los recién ingresados al servicio, nueve mil. Los médicos residentes, centinelas de tiempo completo, como los terapeutas, cobran cheques quincenales por cinco mil quinientos pesos.

Dos días antes de la visita de la señora, la calle de Doctor Márquez quedó libre de los puestos de jugos, tortas, tacos, fritangas. El dato tampoco es menor. Trabajadores del hospital y también niños y familiares almuerzan en los puestos.

El recorrido de la esposa del presidente duró aproximadamente dos horas. En ese lapso, el cuerpo médico, encabezado por el doctor Romeo Rodríguez, se abstuvo de convocar a sesión alguna para tratar problemas ingentes del centro hospitalario. Todo fue caminar, asistir al dolor silencioso de niños exhaustos y a la conmovedora esperanza de quienes han oído decir, y saben, que pronto volverán a sus hogares.

Todo esto me fue revelado por un grupo de médicos que me pidió mantuviera sus nombres en el anonimato. No fue el caso del coordinador de los servicios de oncología, Armando Martínez. Se sintió lastimado y decidió hablar. Son hechos que a muchos constan, me dijo.

Fuerte es el carácter del doctor Martínez, áspero de temperamento. Tiene bien ganada fama como hombre intransigente en los problemas de principios, pero no se discute su calidad profesional. Lo he visto trabajar, inclinado sobre las cunas y las pequeñas camas de sus pacientes. No me es fácil describir la ternura de su trato. Las criaturas lo conmueven y les infunde valor con una voz fingidamente autoritaria. Una larga época se rapó —y afirma que volverá a hacerlo— para propiciar que los niños le extendieran los brazos y él, a su vez, pudiera abrazarlos con mayor naturalidad. El doctor Martínez les frotaba la cabeza y les decía: «Soy un pelón, como tú». Después se perdía en voces y gestos que sólo él entendía y provocaba la risa de sus enfermos, graves todos.

A la una de la tarde, la señora Sahagún descendió a la planta baja. La aguardaban sobre todo personas de condición modesta y personal del hospital, impacientes todos por el regreso del orden. La señora observó el contorno y su mirada circular se detuvo en una niña de unos ocho años que se apretaba contra una joven señora embellecida en su bata blanca. El doctor Romeo Rodríguez observó los pasos de la esposa del presidente, directos a la criatura rapada y dijo, imprudente y servicial:

«Se llama Estefanía y tiene leucemia, señora.»

La señora se acercó a Estefanía, acarició levemente su cara y le dijo, audible la voz:

«¿Cómo estás, mi vida?»

Observé a la señora y me pareció percibir en ella una cierta desazón. Accesible en la distancia, me dijo que hay áreas en las cuales no es posible enterarse de todo lo que ocurre.

XX

El seis de enero de 2004, otro día de reyes, el presidente festejó la adquisición de un acelerador lineal para apoyar la lucha contra el cáncer. El aparato fue destinado al Hospital Infantil y ahí llegó el mandatario. En primera línea lo acompañaban su esposa, el doctor Julio Frenk y personajes del área de salud.

El acelerador lineal llama la atención por su tamaño, unos ocho metros de longitud, uno de altura y atrae por los misterios de su alma. El espacio que le está reservado es restringido, especie de caja hermética. Exige un trato en extremo cuidadoso. La fuerza de sus radiaciones contiene una carga que puede ser fatal.

El presidente se mostró satisfecho por la renovación del equipo para combatir la enfermedad implacable y pronunció un discurso para subrayar las cualidades curativas del acelerador. Se equivocó. El dislate fue sonoro y, más grave aún, doloroso. Sembró esperanza y cosecharía frustraciones.

La función terapéutica substituye con todas las ventajas a la bomba de cobalto. Desplazada del mundo subdesarrollado, su energía es de tungsteno, se me explica, el mismo filamento de los tradicionales focos del hogar, su haz poderoso penetra agresivamente en el tumor y respeta los tejidos normales de la zona infectada. En un adulto este problema no es grave, pero sí en los niños, llamados a integrarse a una vida absolutamente normal. Suelen ser irreversibles las dolorosas secuelas que deja en ellos la acción de la bomba de cobalto.

Hubo otras sombras ese día de Melchor, Gaspar y Baltasar. El acelerador lineal fue adquirido sin un complemento importante, el tomógrafo, y ese día, y muchos después, no contó con un operador capaz de manejarlo con pruebas sobresalientes de eficacia. Además, la bomba de cobalto continúa funcionando en el servicio de oncología.

XXI

Han corrido con suerte incierta los niños del primer instituto nacional de salud y el primer hospital dedicado exclusivamente a la atención de los pacientes de edad pediátrica. Son muchos los jóvenes estudiantes y médicos recién graduados en países latinoamericanos que realizan en el «Federico Gómez» cursos de adiestramiento e investigación.

El martes doce de abril de 2005, el presidente convocó a una reunión en Los Pinos. Tema central de su discurso fue la credencial para el seguro popular que expedía su gobierno. La idea era luminosa, pero quimérica, un dramático juego infantil.

Dijo el presidente que los padres sólo tendrían que mostrar su credencial para que sus hijos fueran atendidos sin mayor trámite en los centros de salud del gobierno, señaladamente el Hospital Infantil de la Ciudad de México. La medida se extendería a los padres de las criaturas. Para ellos habría también atención gratuita.

Los hechos agravian. Con el tiempo se supo que no había manera de ocuparse de los niños, ni de sus padres, sino en proporción mínima. En la actualidad, el hospital sólo atiende a las criaturas atacadas por leucemia, siempre y cuando el mal haya sido detectado un año atrás. Las exageraciones y las buenas intenciones presidenciales tienen un alto costo en el centro de salud. Hay desengaño y exigencias de parte de personas que se sienten engañadas, muchas por los médicos del propio hospital.

XXII

En el inicio del gobierno de Vicente Fox, el primero de diciembre, el presidente y la señora Sahagún se reunieron temprano en la mañana con los niños de la calle, limpias sus blusas, limpios los zapatos, bien peinados, sonrientes. La señora y el señor compartieron la jornada con los chiquillos y chiquillas sin hogar estable, pero en busca de su calidez. Todos disfrutaron del atole y los tamales. El suceso fue transmitido por televisión.

Horas más tarde, en su primer mensaje a la nación, dijo el presidente:

A las niñas y niños que en unos cuantos años tendrán el país en sus manos, les debemos una mirada confiada y una vida exenta de angustias y temores. A ellos les responderemos con un crecimiento económico que permita a todos los jefes de familia tener un empleo para vivir con dignidad y decoro. Comenzaremos ¡hoy!

No más niños de la calle, no más deserción escolar, no más ilusiones frustradas. Para lograrlo empezaremos ¡hoy!

Como parte del Programa Internacional para la Erradicación del Trabajo Infantil, la Organización Internacional del Trabajo (OIT) informó acerca de la situación en la que se encuentran los niños que trabajan en esta área del mundo. El documento fue publicado el cinco de septiembre del año en curso. En el hielo de la estadística, dice respecto de nuestro país:

«Trabajan 4 252 700 niños y adolescentes de 5 a 17 años de edad. De este gran total, 1 038 100 desarrollan trabajos pesados o peligrosos».

Las peores formas del trabajo infantil las detalla así el documento de la OIT:

a) Todas las formas de esclavitud o las prácticas análogas a la esclavitud, como la venta o el tráfico de niños, la servidumbre por deudas y la condición de siervo, y el trabajo forzoso u obligatorio, incluido el reclutamiento forzoso u obligatorio de niños para utilizarlos en conflictos armados;

b) La utilización, el reclutamiento o la oferta de niños para

la prostitución, la producción de pornografía o actuaciones por-
nográficas;

c) La utilización, el reclutamiento o la oferta de niños para
la realización de actividades ilícitas, en particular la producción
y el tráfico de estupefacientes, tal como se definen en los tra-
tados internacionales pertinentes, y

d) El trabajo que, por su naturaleza o por las condiciones en
que se lleva a cabo, es problema que dañe la salud, la seguridad
o la moralidad de los niños.

Aparecen, en boceto, las redes infantiles del narcotrá-
fico.

XXIII

Dicen que no hay manera de amar a la mujer desconocida o al hombre ignorado. Algo parecido le ocurrió a Vicente Fox. No se enteró del país oculto bajo la superficie de la tierra. En esas circunstancias careció de la fuerza para gobernarlo con mínima destreza.

El fracaso apunta ya como el signo de su administración, sexenio que dio principio cuando presentó a los miembros de su gabinete por televisión y les pidió una porra por México. Y todos cantaron: «alabío, alabao, alabimbombá, México, México, ra, ra, ra».

En su ignorancia, no supo Fox que el nacionalismo nos une y nos lleva a soñar en una patria soberana; no supo que debía recuperar el país como líder de Latinoamérica y revivirlo como territorio de los perseguidos; no supo que Benito Juárez y la Reforma son parte inamovible de nuestra historia; no supo que el Vaticano posee rango de estado y no tenía por qué postrarse ante Juan Pablo, quien nos visitó como jefe político; no supo que su comportamiento con Fidel Castro, tratado como un criado, lo llevaría a los brazos de George Bush; no supo que al triunfo electoral del año 2000, una proeza, habrían de seguir muchos años de austeridad para aliviar a un México lastimado hasta los huesos; no supo que con los pobres no hay alarde que valga y no tenía por qué decirles que ya ganan más, viviendo como viven en el subsuelo de la República; no supo que la inequidad es la herida sangrante de una sociedad partida en pedazos; no supo que el Fobaproa empobreció a la clase media y a la llamada clase baja en beneficio de las clases altas y altísimas; no supo que el Castillo de Chapultepec es un monumento y no un teatro de revista para que ahí se luciera Marta Sahagún con su tristemente célebre Vamos México; no supo que en la corrupción había que meter las manos hasta las entrañas, incluidas las de los amigos y cómplices; no supo del riesgo que significa hablar desde la ignorancia extrema y caer así en el ridículo de su famoso «José Luis Borgues»; no supo hacerse querer persistentemente, él que llegó a tener en sus manos el corazón de una mayoría de mexicanos; no supo que a los niños de la calle y a los niños enfermos había que protegerlos con cuidados extremos; no supo que la última miseria, lindante con la inanición, lo obliga a mantener centros de beneficencia; no supo impulsar una educación de calidad ni dio testimonio de su adhesión a las universidades públicas, señaladamente la UNAM; no supo que la impunidad es el gran aliado de la delincuencia y había que combatirla contra todos, aliados, parientes y adversarios; no supo que las cuitas del corazón prenden el escándalo y han de ser resueltas discretamente, a solas; no supo que el rudo trabajo de presidente ha de cumplirse con el celo de un rito que aspira a la grandeza.

A Fox lo derrotó su victoria clamorosa, ahí se quedó.

Héroe indiscutible, cayó en excesos desde el inicio de la campaña. Dijo que iniciaría la primera revolución del siglo XXI, evocación sin sentido de la doble epopeya de 1910 y 1918 en México y Rusia. Dijo también que haría de la nación devastada por el priísmo un hogar para todos los mexicanos. Poco a poco su boca se iría llenando de palabras.

Desde el origen, la señora Sahagún se hizo eco de la desmesura. Alcanzaría Fox un liderazgo mundial, dijo, y los guanajuatenses estarían en ese nivel, ciudadanos del mundo. La pareja tendía a cobijarse en ella misma, insensible al malestar que generaba.

A Fox no le agradó el escudo nacional y decidió hacerse de uno propio. En el futuro, la correspondencia de la presidencia de la República, la de los miembros de su gabinete, la de los secretarios, oficiales mayores, directores y la de los funcionarios y representantes de México en el extranjero mostrarían el «águila mocha», que así fue conocido el capricho del Ejecutivo.

El nuevo emblema, encargado a la agencia de publicidad Zimat Consultores, se prestó a interpretaciones. Una de las más socorridas sostuvo que el nuevo símbolo sugería la V de Vicente. Voces contenidas hablaban de un régimen azul para los próximos veinte años. Santiago Creel figuraba en los planes, delfín a la vista.

El escudo tiene su historia de muchos años, abatida con un gesto. El cinco de febrero de 1934, el presidente Abelardo L. Rodríguez había publicado un decreto que dice:

Considerando que la adopción de un modelo definitivo del Escudo Nacional constituye una necesidad inaplazable por ser el símbolo de la nacionalidad misma, el emblema en el que se recuerdan y compendian sus tradiciones, las luchas heroicas que el pueblo ha sostenido por su libertad, los acontecimientos más culminantes de nuestra historia y aun las características de la raza, he tenido a bien expedir el siguiente decreto:

Artículo 2º. Dicho Escudo, en sus respectivas modalidades, será el único que en lo sucesivo ostentarán las banderas, monedas, medallas y correspondencia de todas las oficinas públicas del país, así como los escudos de las embajadas, legaciones y consulados en el extranjero.

Artículo 3º. Quedan prohibidas las reproducciones que se aparten de los modelos adoptados por el presente decreto.

Fox actuó como si pudiera permitirse lo que le viniera en gana, no en balde había ganado las elecciones para el pueblo de México. El 28 de octubre del año 2001, se apoderó del castillo de Chapultepec para celebrar a la señora Sahagún. La nueva clase política y los ricos más ricos fueron convocados a una fiesta para reunir fondos que permitieran el nacimiento de la fundación Vamos México. Las mesas para diez personas costaron un millón de pesos. Esa noche el alcázar se miraba esplendoroso, limpio el cielo estrellado.

Elton John, mago del espectáculo, cantó en su idioma, el inglés, y estremeció a los asistentes cuando cantó «My Song». La emoción del momento unió a todos en una sola exclamación y algunos aplaudieron, súbitamente trastornados.

John gozaba, iba y venía por el escenario que era suyo

y de nadie más. Se había presentado con un traje de seda oscura entretejida con oro y plata, sin menoscabo de la pedrería reluciente. Su público lo seguía, fuera de este mundo, las señoras de largo, los señores de *smoking*, ellas con sus joyas en el cuello, las manos, los brazos, las orejas, el escote; ellos con sus relojes y las mancuernas de joyería. La señora Sahagún había elegido para el acontecimiento un vestido negro y un collar de perlas: la suprema distinción.

Desde el atardecer de ese día de octubre, el estado mayor presidencial había prohibido el paso a transeúntes y automovilistas por el área del Castillo, que tenía dueño. Fue patente para todos el rango que alcanzaba la señora; por el presidente, presidenta de Vamos México.

XXIV

Sepultada en el pasado quedaba la visión que Lázaro Cárdenas había tenido del Castillo. El 20 de noviembre de 1940, a unos días del fin de su gobierno, había dispuesto que el monumento quedara bajo la custodia del Instituto Nacional de Antropología y fuera inspiración de nuestra historia. Ésta fue la razón del decreto que expidió en el aniversario de la revolución:

Considerando que la tradición y memorias de Chapultepec, desde los tiempos más remotos, consagra a ese sitio como monumento histórico por excelencia y lección objetiva de patriotismo, accesible a todas las clases sociales. Descubierto por los toltecas hacia el año de 1122, fue más tarde, en 1245, la primera residencia de los aztecas antes de la fundación de Tenochtitlán y continuó siendo adoratorio de dioses y sitio de recreo para los reyes; fue allí la elección del gran jefe azteca Huitzilhuitl; Nezahualcóyotl construyó al pie del cerro la primera residencia y se empeñó en acrecentar la belleza del sitio; Moctezuma II lo hizo lugar de predilección; en los trances de la Conquista, los invasores tuvieron buena cuenta de la importancia estratégica de Chapultepec y una de las primeras providencias para cercar Tenochtitlán fue la de apoderarse del acueducto y cortar el agua que surtía a la ciudad: objeto de disputas por su posesión, las ambiciones de conquistadores y colonizadores estuvieron fijas sobre Chapultepec; en la cumbre del cerro fue substituido el adoratorio por una capilla para el nuevo culto; el virrey don Luis de Velasco dedicó el bosque al emperador Carlos V y los posteriores gobernantes de la Nueva España siguieron teniéndolo como sitio de recreo, abierto a las principales familias de la colonia; el virrey don Bernardo de Gálvez dio principio en 1785 a la construcción del castillo; consumada la Independencia, diose a Chapultepec por sede al Colegio Militar, levantándose nuevas edificaciones en la parte posterior del castillo, lugares que luego habrían de ser escenario de las batallas contra la invasión norteamericana, cuyo clímax es la valentía y sacrificio de los cadetes, a quienes la historia proclama como «niños héroes»; Maximiliano de Habsburgo reconstruyó el castillo y lo convirtió en su morada predilecta; al triunfo de la República, las residencias presidenciales tuvieron allí asiento y fueron teatro de acontecimientos decisivos para la historia del país, principalmente en la era de los gobernantes revolucionarios.

Agrega el decreto:

Que tan magnífico historal determinó al Ejecutivo a mi cargo para acordar que las residencias de Chapultepec fueran destinadas, por modo absoluto, al servicio de la cultura histórica popular y del Castillo, convertido en Museo, fuera abierto al público sin restricción.

Resume el artículo primero:

«Se destina el Castillo de Chapultepec y sus anexos al servicio del Instituto Nacional de Antropología e Historia.»

El general Cárdenas no quiso dejar la presidencia sin velar por el Castillo, símbolo entrañable. Adjunto al decreto, conserva el Archivo General de la Nación una hoja manuscrita, a lápiz y sin firma, que dice:

«Que se haga una exposición de motivos de carácter histórico. Con gran urgencia y que se lleve a la presidencia en el acto.»

La segunda frase aparece subrayada.

XXV

En ejercicio de una política aviesa, Vicente Fox se comportó en Downing Street 10, sede del gobierno británico, como ningún presidente mexicano debería conducirse. Ante sí y por sí, silencioso, ofreció el gas natural de los mexicanos a la Shell, la poderosa empresa diversificada en el mundo.

Desde Downing Street 10, Winston Churchill, temperamento indómito y estratega genial, venció a los escuadrones nazis, los aviones de Goering que caían en picada y cerca de la tierra estallaban bombas y metralla.

Ahí Vicente Fox abrió una puerta para que las compañías británicas compartieran nuestro gas. Una carta del primer ministro inglés, Tony Blair, firmada con un amistoso Tony, da cuenta del hecho.

El documento muestra en la parte superior, al centro, el

escudo inglés. Abajo: «10 Downing Street, London SW1a 2AA». A la derecha del pliego, el escudo mexicano da cuenta de su recepción. Se lee: «Presidencia de la República».

La carta va dirigida por «the Prime Minister» a «His Excellency Lic. Vicente Fox Quesada».

En su parte substancial, dice:

Cuando nos encontramos en noviembre pasado, hablamos del interés de Shell en trabajar con sus autoridades en desarrollar una terminal de gas natural en México. Me complació saber que su invitación fue aceptada. La compañías británicas tienen amplia experiencia en operaciones globales y en nuestra industria de petróleo y gas en aguas profundas.

Ésta es la carta íntegra:

10 Downing Street

Londres SW1a 2AA

Noviembre 6, 2003

El Primer Ministro

Gracias por aceptar reunirse con Lord Levy, a quien pedí visitara México como mi enviado personal.

Su visita, en el aniversario de nuestra última reunión en

Londres, ofrece una oportunidad para revisar el progreso de nuestras relaciones bilaterales y para examinar algunos de los asuntos clave de la escena internacional.

En el frente bilateral, creo que las cosas van bien. Estoy complacido con el diálogo constructivo que estamos desarrollando sobre Derechos Humanos y Cambio de Clima, donde nuestras posiciones se acercan. También me alegra saber del trabajo conjunto que hemos realizado sobre las asociaciones públicas y privadas, el financiamiento de servicios públicos, la reforma al servicio civil y más recientemente sobre la reforma de la justicia militar. Michael Levy estará interesado en escuchar su valoración de prospectos para esas otras reformas en México.

Cuando nos encontramos en noviembre pasado, hablamos del interés de Shell en trabajar con sus autoridades en desarrollar una terminal de gas natural en México. Me complació saber que su invitación fue aceptada. Las compañías británicas tienen amplia experiencia en operaciones globales y en nuestra industria de petróleo y gas en aguas profundas.

Lamento saber que las negociaciones para el acuerdo de la protección a la inversión han estado detenidas por un tiempo. Espero que sea posible reanudarlas pronto.

En el frente internacional, quisiera aprovechar esta oportunidad para agradecer a México por su contribución como miembro no permanente del Consejo de Seguridad de las Naciones Unidas durante los recientes dos años. Usted ocupó un asiento durante un periodo particularmente retador, y usted jugó un rol constructivo en nuestros debates. Espero que seamos capaces de mantener el paso en la cooperación y la consulta.

También quiero agradecerle por los esfuerzos de México para llevar adelante la agenda global en varios otros frentes el año pasado, más notablemente en la Organización del Comercio Mundial en Cancún. Lamentamos que, al final, no haya sido posible alcanzar un acuerdo en Cancún. Pero México merece nuestro agradecimiento por haber ofrecido una jurisdicción segura y tranquila.

Después de ir a México, Michael visitará otros países de América Latina, incluyendo Panamá, Perú, Venezuela y Chile. Dará la bienvenida a sus pensamientos sobre desarrollo en estos y otros países latinoamericanos. Él es también, como usted sabe, mi representante especial para el Medio Oriente, y le alegrará compartir ideas sobre el progreso en su región. Sé que Michael tendrá discusiones útiles sobre éste y otro tema mientras esté en México.

Espero saber sobre esto cuando él regrese.

(A mano) Los mejores deseos para siempre,

TONY

Índice onomástico

Índice

La pareja de Julio Scherer García
Esta obra se terminó de imprimir en noviembre del 2005 en
Litográfica Ingramex, S.A. de C.V.
Centeno 162-1, Col. Granjas Esmeralda,
México, D.F.

Certificado No. 02-2082